PAULA OTTONI

As Letras do Amor

Novas Páginas

1ª Impressão — 2016
Impressão e Acabamento RR Donnelley 210616

Produção editorial: Equipe Novo Conceito
Preparação: Marcelo Maia Torres
Revisão: Valquíria Della Pozza; Erika Sá

Dados Internacionais de Catalogação na Publicação (CIP)
(Câmara Brasileira do Livro, SP, Brasil)

Ottoni, Paula
As letras do amor / Paula Ottoni. -- Ribeirão Preto, SP : Novo Conceito Editora, 2016.

ISBN 978-85-8163-843-0

1. Ficção juvenil I. Título.

16-04748 CDD-028.5

Índices para catálogo sistemático:
1. Ficção : Literatura juvenil 028.5

Novas Páginas
Rua Dr. Hugo Fortes, 1885
Parque Industrial Lagoinha
14095-260 – Ribeirão Preto – SP
www.grupoeditorialnovoconceito.com.br

amor

a.mor

1. Sentimento que impele as pessoas para o que se lhes afigura belo, digno ou grandioso. 2. Afeição, grande amizade, ligação espiritual. 3. O tempo em que se ama.

roma

ro.ma

1. Uma das cidades mais românticas do mundo. 2. Palavra cuja inversão de letras é amor. 3. Onde ambos os significados se misturam numa louca experiência intensa.

A todos os que já tiveram um amor, dois amores ou vários.
Aos que já moraram fora ou sempre quiseram.
Aos que acham que a vida tem trilha sonora.
Este livro é para todos os que vivem suas utopias.
Aos seus anjos ou aos seus demônios.

1

PLAYLIST:
Lights – Ellie Goulding
Sight of the Sun – Fun

Parece que, de uns tempos pra cá, toda vez que um filme romântico acaba, naquela cena habitual do beijo ou do casamento — você sabe, com a música épica, os sinos tocando e a coisa toda —, eu me pergunto: "Tá, e agora?".

Eu não sei o que há de errado com o mundo, ou se é só Hollywood mesmo, mas por qual motivo a história acaba quando *começa*? Quero dizer, a parte legal está só mesmo no período em que se conhecem, e quando casam é tudo tão previsível que não vale a pena ser mostrado?

Olho para a televisão, vejo os créditos subindo a tela de *O Amor em Dois Tons*, e imagino a continuação de Laura e Max, os protagonistas da história. Ela está em casa, passando roupa, e ele, vendo futebol. Os dois saem com os amigos. Vão dormir. Acordam todos os dias e vão trabalhar. Eles compartilham a vida, mas ninguém quer assistir a um filme sobre isso. Bom, a não ser que tenha tiroteios, zumbis, ele se torne um agente secreto ou ela arrume um amante. Coisas assim.

— É claro que eu entendo que a rotina não tem emoção, mas o que isso quer dizer? — Balanço o controle remoto. — Que vamos nos sentir entediados com quem conhecemos há muito tempo? E que todos os casamentos estão falidos desde o dia em que começam, por isso nem vale a pena mostrar quão chato é ver o declínio de um romance extremamente excitante no início?

— MÃÃÃE, A BIANCA TÁ FALANDO SOZINHA DE NOVO! — grita Breno, meu irmãozinho de cinco anos, pronto para tomar conta da televisão.

Suspiro. Levanto-me do sofá, mudo para o canal de desenhos e deixo Breno se entreter com algum dos *cartoons* malucos de hoje em dia. Sabe, aqueles com um monte de personagens geométricos coloridos que gritam mais do que falam, bem diferentes da minha "geração Rei Leão". Subo para o meu quarto, porque, afinal, Breno está certo. Falar com a Mari é muito melhor do que falar sozinha.

Tão logo chego, pego o celular e desço para o jardim, porque a gritaria dos meus pais discutindo no cômodo ao lado pela milésima vez abafa qualquer outro som.

— Não é como se você fosse *casar* com ele, Bianca! — diz Mari ao telefone. — São só seis meses, e vocês estarão morando com outra pessoa.

Estou deitada na grama observando as nuvens. Uma delas se parece com o mapa da Europa.

— É, mas teremos nosso próprio quarto com cama de casal, ele vai ter que agir como um cara maduro e tal, eu vou ter que cozinhar, lavar roupa...

— Ah, amiga, não vai dar pra trás agora, né? Ele precisa de você! Vai mesmo abandonar ele por seis meses e perder essa oportunidade de conhecer como é morar juntos?

— Hum. — Penso nos meus próximos seis meses caso escolha ficar em casa. Sem faculdade, meus pais brigando, meus irmãos pentelhando...

— Sem falar que vai ser bom para você descobrir o que quer fazer da vida — completa ela. — Antes trabalhar lá do que aqui, eu acho. Você só vai poder fazer vestibular no semestre que vem mesmo...

— *Se* eu fizer... — saliento. — Enfim, esse não é o ponto. Sei que a Itália vai me fazer bem, quero cair fora daqui mesmo. O negócio é a coisa toda do *pseudocasamento*...

— O que seus pais acham disso?

— Pretendo falar com eles hoje. Mas, cara, sou eu quem tem de decidir essas coisas, eles não podem me proibir. Vou fazer meu próprio dinheiro e já tenho uma poupancinha boa...

— Bianca — diz ela, e o fato de estar me chamando de "Bianca" me deixa consciente de que vem aí uma sacudida nos meus ombros, típica da Mari. — Eu sei que o divórcio deles está te afetando, mas, escuta, não deixa que isso te desiluda do amor, não, viu? Vocês dois são lindos, perfeitos um para o outro, esses seis meses serão só mais uma prova de que você tinha razão quando me disse, logo depois do segundo encontro, que ele era quem você tinha procurado a vida toda. Você ainda acha isso, não acha?

Eu já sei a resposta, mas penso por um segundo. Quando Miguel me beijou pela primeira vez, foi como num filme. Eu era apaixonada por ele fazia anos, quando frequentávamos a mesma escola no ensino médio (ele sempre um ano à frente), e nunca me notou. Aí, no meu primeiro ano de graduação, de repente tudo aconteceu.

Já estamos há um ano juntos, e eu ainda o considero o cara mais bonito que posso ter no mundo real. Ele continua me fazendo feliz. Amadurecemos muito desde o colégio. Eu, com dezenove agora, depois de ter perdido três semestres estudando Pedagogia, descobri que não queria perder mais nem um mês sequer com isso. Meus pais surtaram, claro, mas acabaram compreendendo. Não tenho cabeça agora para fazer vestibular de novo, eles precisam entender que preciso de um tempo para pensar. Foi justamente isso que não tive quando escolhi minha profissão, um ano e meio atrás.

Miguel não é mais um garoto de colégio também, principalmente agora que está disposto a assumir os negócios da família. Com vinte e um anos, no terceiro ano da graduação em Administração, ele já tem muito encaminhado por causa do pai, um empresário de primeira, mas o Sr. Nogueira só vai deixá-lo assumir seus negócios se ele mostrar responsabilidade, e é isso que Miguel está tentando conseguir ao se mudar para Roma por seis meses e inaugurar uma loja por lá.

— Ei, Bianca, ainda tá por aí? Não ignora minha pergunta.

— Hã? Ah, sim, claro, você me conhece, sabe que amo o Miguel.

— Então, menina, deixa de paranoia e aproveita! Quem dera fosse eu que tivesse um namorado bonito indo montar uma empresa na Itália e querendo minha ajuda. Exceto pelo fato que não sei nada sobre negócios.

— Nem eu... — Dou risada.

— Quem sabe você não descobre do que gosta?

— É, quem sabe...

Durante o jantar daquela noite, fico calada, olhar contemplativo, fixo em meu prato de espaguete à bolonhesa, meus neurônios trabalhando loucamente, deixando-me consciente de que tenho de tomar logo a tal decisão. Não acho que Miguel queira esperar mais para comprar as passagens e resolver com o amigo dele se ele vai hospedar apenas meu namorado ou nós dois. Então, durante uma aborrecedora discussão inútil de mamãe com os meus dois irmãos que não sabem ficar quietos, interrompo, minha voz soando tão alta quanto as de Breno e Matheus:

— Eu só queria deixar registrado que vou para Roma no mês que vem.

Meu pai deixa o garfo cair no prato, surpreso com o que mamãe não ouviu. Ele abana o braço para a parte barulhenta da mesa.

— Ei, silêncio, vocês, a Bianca acabou de dizer uma coisa!

Como normalmente sou a pessoa mais silenciosa da casa, todos param para prestar atenção.

— Desculpa, querida, o que disse mesmo? — Mamãe ajeita os cabelos loiros acinzentados, um pouco suada pelo calor que está fazendo e pela energia que ela precisa desprender para educar meus irmãos endiabrados. Acho que é por isso que ela está tão magra ultimamente.

— Eu falei que vou à Itália no mês que vem — repito, muito calma e sóbria. Os olhos do meu pai ficam arregalados enquanto ele bebe seu vinho.

Temos muitos hábitos italianos na casa, pelo fato de o meu pai ter crescido com seu avô siciliano. Todos nós possuímos dupla cidadania por causa dele, mas eu só havia visitado Palermo e algumas cidades da Sicília quando era bem pequena, não me lembro de quase nada e nunca aprendi a língua, por priorizar o inglês.

Meu pai, Antônio Marino, sabe falar italiano quase fluentemente, apesar de nunca ter vivido na Itália de verdade, e a aparência dele também não nega sua ascendência: cabelos escuros e olhos castanhos bem claros (a quem eu puxei), a pele branca, o gestual exagerado e uma barriguinha de *pasta e vino* (que espero nunca herdar).

Ao contrário de mim, meu pai se sente muito italiano, portanto o fato de eu dizer que vou à Itália provavelmente o fez ter esperanças de que eu estivesse manifestando o interesse de finalmente me conectar com minhas raízes.

Desculpe, papai, não é bem isso.

— O Miguel vai abrir uma filial da empresa do pai dele lá em Roma, para aprender como se gerencia um negócio, sabem como é, e eu já decidi que vou junto. Ele precisa de mim.

Minha mãe meio que fica paralisada.

— Mas, filha, você tem que fazer vestibular, começar a nova faculdade! Desde quando você entende de negócios?

Olho para meu copo de suco de uva (o vinho é reservado aos "adultos").

— Quem sabe eu me interesso? Pode ser um bom jeito de decidir minha carreira. — Dou de ombros. Minha mãe entende tudo.

— Você não está preparada para isso, Bianca. É nova demais para bancar a esposa dele... — Rebate ela com veemência.

— Eu já decidi. — Encaro-os de modo firme. Meu pai parece completamente perdido. — Vocês podem, por favor, parar de agir como se eu tivesse quinze anos? Já tenho *dezenove, quase vinte!* — destaco. Sei que não é justo atacá-los assim, mas percebi que estou velha demais para continuar levando a vida de uma adolescente. Sair de casa é a melhor opção, preciso fazê-los ver isso.

— Por quanto tempo? — pergunta minha mãe, ainda pouco satisfeita.

— Seis meses. — Ao dizer isso, sinto a tensão dela se propagar pelo ar até mim.

— Seis meses? Onde vocês morariam? Que dinheiro você iria usar?

— Tenho uma poupança, mãe, esqueceu? Além do mais, não vamos gastar muito porque o melhor amigo do Miguel está estudando lá em Roma, os pais dele são da Calábria, e o colega com quem ele dividia o apartamento se mudou, deixando um quarto vazio. Podemos ficar lá, ele disse. Eu também vou trabalhar.

— Bianca, eu não sei. Sua poupança não foi programada para isso. E vocês dois já pensaram no...

— Deixa ela ir, Cristina — corta meu pai, para minha descrença. Acho que ele finalmente percebeu, com certo orgulho, que me transmitir a cidadania foi uma boa coisa, já que posso trabalhar e me manter legalmente no país. — Ela deve estar precisando de um tempo para viver e amadurecer. Vai ser bom aprender um pouco da nossa cultura também. — Ele se inclui como se tivesse vivido na Itália a vida inteira.

— Acho que ela está cansada das brigas... — Matheus faz sua inteligente contribuição para um menino de sete anos. Meus pais parecem constrangidos, e sinto vontade de fazer um cafuné na cabeça do meu irmão. Não faço, porém. Fico sentada com o queixo erguido, tentando parecer uma mulher madura.

Minha mãe suspira e passa a mão na testa.

— Quando você vai?

— Preciso pesquisar as passagens. — É tudo o que digo, então me levanto para levar meu prato para a cozinha. Quando passo de novo pela mesa para subir as escadas, meu pai diz:

— Eu gostaria muito que você visitasse Palermo.

Dou um sorrisinho de lado. Foi bem melhor do que quando anunciei que desistiria da faculdade de Pedagogia. Sei que minha mãe não está completamente convencida, mas parece que papai entendeu que isso pode ser benéfico para o processo de divórcio deles. Afinal, fui a primeira filha, a queridinha dos dois, e nada melhor do que estar longe dessa fase depois da decisão terrível que tomaram. Assim, aliviada ao menos com o assunto da minha viagem, subo depressa para o meu quarto, cantarolando a música alegre dos créditos de *O Amor em Dois Tons*.

2

♪ PLAYLIST:
Shot at the Night – The Killers
Home – Phillip Phillips

— Isso é maravilhoso, amor! Mal posso esperar — comemora Miguel ao telefone quando ligo para ele ao mesmo tempo em que já procuro passagens aéreas na internet. Ficamos discutindo as possibilidades e voos, ele todo feliz. — Tenho que avisar o Enzo de que iremos nós dois, ele vai preparar o quarto, tem cama de casal, banheiro privativo e tudo. Parece bom, não acha? — diz ele animado, e eu concordo, rindo. Uma parte de mim, porém, está tensa, pois sei que então não haverá mais como escapar do "inevitável" que eu venho prolongando há tempo demais.

Sinceramente, Miguel deve me amar muito, pois não consigo pensar em outros caras que esperariam tanto para chegar "ao finalmente" com a namorada. Já faz um ano, e o máximo que fazemos é brincar com as partes legais um do outro, se é que me entende. Eu sempre arrumo uma desculpa para fugir da situação propriamente dita, e ele nem insiste mais, sabendo que preciso do meu tempo para me sentir pronta.

Quer dizer, insistir ele insiste de vez em quando, mas na boa. Sei que ele não entende como eu ainda posso estar despreparada para um passo que seria mais do que natural para um casal como nós, mas é que eu sou complicada, e não é que eu não o ame ou que deseje esperar pelo casamento, é que simplesmente nunca achei que a oportunidade perfeita havia aparecido.

É claro que tentamos algumas vezes, e Miguel vira e mexe me arranja umas "noites pagas num hotel", mas eu sempre cancelo na última hora. Ele fica desapontado, mas me respeita, e essa é uma das coisas de que mais gosto nele. Talvez seja, de certa forma, um teste para ver quanto ele aguenta esperar por mim.

De alguma maneira, sei que o prazo está ficando curto, então acabei aceitando que dividir o quarto na Itália seria a minha prova de que eu estava finalmente cedendo.

Passamos horas falando ao telefone, conversando sobre os detalhes, e fico cada vez mais empolgada com a viagem. Enfim, decidimos qual voo comprar e o fazemos ao mesmo tempo, cada um de seu computador. No fim do processo, estou cansada e nos despedimos. Ao deitar na cama para dormir, sorrio por tomar minha primeira decisão relevante em semanas.

***

Junho passa depressa. Tudo o que eu faço de útil, praticamente, tem a ver com a viagem. Não consigo me encontrar com o Miguel tantas vezes quanto gostaria porque ele está muito ocupado com os assuntos da empresa, tendo reuniões a toda hora e fazendo o máximo possível para que seu pai o considere seu novo "homem de confiança".

O pai dele, o Sr. Laerte Nogueira, está cuidando do visto e de praticamente toda a burocracia, o que já vem acontecendo há meses, assim como a construção do *negozio*. Tudo o que eu sei é que será uma versão menor da loja de móveis artesanais que eles têm aqui no centro de BH.

Miguel também não estará sozinho. Dois dos sócios do pai dele vão ajudá-lo e já estão procurando casa nas redondezas. É um projeto ambicioso dos Nogueira, e espero que eu possa ser útil de alguma forma, mas também não me meterei onde não me chamarem.

Mari passa quase o mês inteiro na minha casa, tentando ficar o máximo de tempo comigo até a minha partida. Nós nos divertimos bastante assistindo a filmes e séries, indo a shoppings e baladas e passando tardes à toa conversando sobre o pessoal da faculdade.

Ela ainda está cursando Pedagogia, no semestre que eu estaria se não tivesse abandonado. Nós nos conhecemos na escola, no ensino médio, mas só ficamos mais próximas quando ingressamos juntas no mesmo curso da faculdade. É incrível quanto nos damos bem, como se fôssemos amigas desde criancinha. Nenhuma amiga de infância que tive durou. Nenhuma foi tão boa quanto a Mari é.

Já estamos no sábado que precede minha viagem, nós duas trancadas em meu quarto conversando sobre *aquele* assunto que eu não gosto de discutir, Mari me dando um sermão sobre como não desapontar Miguel.

— Ele deve ter expectativas enormes, Bi. — Ela é a única pessoa no mundo que eu deixo me chamar de Bi. Ou que acha Bi um bom apelido, de qualquer forma. — Está vendo? Esse é o problema de castigar tanto o coitado! Agora ele tem expectativas estratosféricas! Já pensou no que fazer a respeito?

Faço uma careta para ela, mordendo a caneta que estou usando para fazer minha lista de últimas tarefas antes da partida. É claro que estou pensando nisso, que penso *nisso* o tempo todo.

Mari é bem mais experiente do que eu. Já teve dois namorados e alguns "ficantes". Ela é naturalmente bonita e simpática. Sua parcela de genes orientais faz com que seus olhos sejam um pouquinho puxados e os cabelos, pretos, tão lisos que escova progressiva soaria como um insulto. Sua outra parte genética acrescenta a ela o corpão brasileiro e a cor bronzeada que não consigo ter nem mesmo depois de passar um mês na praia. Sou meio que o oposto dela: olhos grandes e claros, cabelos castanhos ondulados, pele bem branca, e magra do tipo sem muitas curvas. Pelo menos nossa altura é mais ou menos a mesma, um metro e setenta... e podemos compartilhar sapatos também.

— Eu sei, tá? Não precisa me dizer. Acaba fazendo com que eu fique mais nervosa — digo, e tento mudar o assunto. — Ei, você não acha que eu devo comprar um par de botas novas?

— Amiga! Você tem que prometer que vai me apresentar a um europeu gatinho! — diz ela de repente, girando a cadeira do computador para me encarar. Vejo que a página que está aberta na tela é o perfil de algum cara gato que ela está espiando. Ela está à caça outra vez. Sinto falta dos nossos encontros duplos, quando eu, Miguel, Mari e o namorado dela saíamos juntos. Era sempre um bom equilíbrio.

— Pode deixar, vou achar um bacana pra você — digo, entrando na onda.

— Ai, Bi, falando sério, arruma mesmo, estou cansada dos brasileiros, quero alguma coisa diferente desta vez. — Sorrio. Ela acompanha. — E olha, vou te visitar, sim! Vou programar aqui as minhas férias e irei assim que der. Perder uma semaninha de aulas também não vai ser problema. — Ela me dá uma piscadela e bate palmas. — Tem tanto tempo que não vou à Europa! Não vejo a hora de farrear por lá com você!

Nós duas rimos e começamos a fazer infinitos planos malucos. Tenho certeza de que sentirei muita falta dela, e prometemos uma à outra que conversaremos o tempo todo por chamadas de vídeo.

* * *

O tão esperado dia chega. O meu nível de ansiedade está lá nas nuvens. Depois de conferir mil vezes que tenho tudo de que preciso na bagagem, e de ouvir milhões de recomendações de mamãe, as sugestões turísticas e culturais de papai e a farra dos meus irmãos por não terem mais de dividir a TV comigo, coloco tudo no carro da Mari enquanto Miguel se despede dos meus pais — eles decidiram não ir ao aeroporto, já que Mari se propôs a nos levar.

Depois dos abraços e olhos marejados, contemplo os meus pais com uma ponta de certeza de que esta pode ser a última vez que os vejo juntos como um casal. Espero sinceramente estar errada, mas do modo como as coisas estão caminhando, este é o futuro mais claro que enxergo.

Meus irmãos, depois da comemoração besta por terem uma pessoa a menos na casa, parecem tristes, e Breno vem me entregar uma cartinha que ele mesmo fez, um desenho nosso jogando bola que acaba por me levar às lágrimas. Sei que são só seis meses, mas eu nunca deixei minha família por mais que uma semana.

Aperto meus pestinhas e entro no carro antes que eu fique ainda mais sentimental. Aceno para eles do banco de trás enquanto partimos, respiro fundo, tentando me sentir contente por deixar a casa das brigas e bagunças para viver a minha grande aventura.

* * *

Eu sabia que *ia* ficar mais sentimental quando fosse a hora de me despedir da Mari. Durante o abraço apertado, ela me faz jurar que vou contar tudo a ela, e não esquecê-la nem trocá-la por nenhuma italiana.

— Uma alemã, então? — brinco. Ela enxuga os olhos, rindo, e dá um tapinha nas minhas costas para eu ir. Passo pela porta do embarque, atrás de Miguel, mostrando meu passaporte europeu e o bilhete.

O voo é longo e cansativo e temos uma parada em Portugal. Tudo é novidade para mim, uma vez que não viajo para o exterior desde que eu tinha cinco anos. Meio morta-viva, chego a Roma, após um voo turbulento, muita choradeira de criança e um filme que me deixou mais depressiva do que o fato de não encontrar uma posição para dormir.

Depois de pegarmos nossas malas nas esteiras, nos dirigimos para a saída do desembarque. Miguel começa a olhar ao redor à procura de seu melhor amigo. Eu não posso ajudar, porque não conheço Enzo. Quer dizer, já o vi em fotos antigas do Miguel, de relance, mas como já tem três anos que ele se mudou de volta para a Itália, nunca fomos apresentados.

Mesmo fazendo tanto tempo, a amizade deles continua forte, e a tecnologia torna tudo mais fácil. Eles também se viram em uma viagem que Miguel fez para a Espanha no ano passado, mas eu estava atolada de tarefas na faculdade na época, então não fui. Se eu soubesse que abandonaria o curso, jamais teria usado tanto tempo nele. Eu poderia já ter conhecido a Espanha e o Enzo.

Sinto-me estranha esperando por um desconhecido com quem vamos morar. Bem, eu confio no Miguel, é claro, e, se Enzo é digno do título de melhor amigo, deve ser um cara legal...

Enquanto eu aguardo ansiosa, Miguel vê um aceno e se dirige aos bancos de espera. Um rapaz caminha em nossa direção. Sigo atrás, empurrando o carrinho com a bagagem.

— E aí, meu velho! — Miguel exclama e o abraça, dando sonoras batidas nas costas do amigo, que retribui com igual alegria.

— Como foi o voo? — pergunta ele, afastando-se, mas mantendo a mão no ombro de Miguel.

— Longo e desconfortável. — Miguel bate nas próprias coxas. — Mal me mexo, né... Espaço muito pequeno.

— Sim, sim... — Enzo me nota parando o carrinho ao lado deles. Dou um sorriso tímido.

— Ah, aí está ela, então? — Ele sorri para mim e avança para me cumprimentar. — Oi, Bianca, seja bem-vinda.

Assim que nos separamos do abraço curto, presto atenção nele de verdade.

Enzo tem vinte e dois anos, segundo Miguel já me disse, e deve ter um metro e noventa ou mais, considerando que consegue ser mais alto que Miguel. Ele é loiro, ao contrário do meu namorado, que é moreno de cabelos pretos cacheados e olhos esverdeados. O verde dos olhos de Enzo é bem diferente, mais claro e visível. Espera... talvez sejam azuis.

Tenho de confessar que Enzo é um cara atraente. Não só pelo seu rosto e corpo em forma, mas também pelo modo como se veste, como se entendesse consideravelmente de moda. Eu, obviamente, não consegui identificar a marca de suas roupas nem nada disso, como a pobre conhecedora do mundo da moda que sou, mas a composição em si deixa aparente que ele escolheu seu vestuário cuidadosamente. É verão, portanto uma camisa xadrez, jeans escuros e sapatos casuais o deixam perfeitamente adequado ao cenário.

Miguel e ele continuam falando sobre o voo e algumas outras coisas que não presto atenção, e me pergunto como Enzo pode não ter namorada. Miguel me disse que ele nunca esteve em um relacionamento sério, e fico me questionando o motivo, se é pela falta de garotas deslumbrantes como ele no mundo, para combinar, ou se simplesmente há algum defeito que acaba destruindo a fachada perfeita.

Volto um pouco à realidade quando ele me pergunta se quero comer alguma coisa ou trocar meu dinheiro no câmbio, e respondo que não, está tudo em ordem. Eles acabam decidindo ir para casa para que possamos deixar nossas malas e em seguida sair juntos para comer alguma coisa. Concordo que é um bom plano.

Enzo tem um carro pequeno, combinando com as ruas estreitas e cheias de trânsito caótico. Assim que saímos da rodovia, minha sessão de deslumbre turístico começa. Enquanto dirigimos para nosso endereço, observo da janela do banco de trás as maravilhas arquitetônicas que meus olhos conseguem captar. Já amo Roma.

Um sorriso enorme se abre em meu rosto ao ver as praças, os prédios centenários, as ruínas espalhadas como intrusos bem-vindos... os turistas caminhando sob o sol, misturando-se aos italianos em suas atividades finas e corriqueiras. Afinal, tudo é charmoso, superando qualquer expectativa.

O ápice é quando em nosso caminho passamos em frente ao Coliseu. Enzo toma aquele caminho para que eu já possa ter um gostinho. É simplesmente incrível como uma construção magnífica daquela pode estar ali, no meio de uma cidade, rodeada de pistas com carros passando. Um extraordinário contraste.

— Uau. — Fico babando da janela, virando meu pescoço duro da viagem para todos os lados. Enzo ri. Miguel já foi a Roma quando mais novo, portanto aprecia, mas não parece tão surpreso quanto eu.

Mais doses de felicidade se acrescentam ao meu humor quando estacionamos em uma rua do centro e Enzo anuncia que chegamos. Não posso acreditar que minha nova casa é bem ali.

Subimos as escadas para o primeiro andar com dificuldade, carregando as malas pesadas, uma vez que não há elevador no prédio. É tudo muito simples e com aquele ar antigo, mas, tão logo entro no apartamento, percebo que vou gostar dele.

É um espaço pequeno, mas muito aconchegante. A sala tem um sofá de três lugares, dois pufes, uma TV de tela plana, uma guitarra e um violão acústico e é decorada a um modo bem italiano, de acordo com o que conheço dos gostos do meu pai para arte. As pinturas nas paredes são agradáveis e tudo tem uma combinação de cores claras e vivas, sugerindo um ambiente agradável.

Espio os quartos e vejo o de Enzo um pouco bagunçado, então decido não olhar por muito tempo para não tirar a privacidade dele. Miguel me chama até o outro quarto, e dou uma boa conferida em nosso novo "ninho de amor". É bem bacana. Vejo uma cama de casal, como Miguel mencionou, uma estante de livros, para eu ir compondo minha coleção, guarda-roupa espaçoso o bastante, toalhas e roupas de cama limpas, um tapete fofo e uma janela que dá para a rua. Miguel sorri para mim. Retribuo e dou um abraço nele pela cintura.

Enzo nos chama para ver a cozinha e nos mostra onde está tudo o que podemos precisar. Diz para ficarmos à vontade, pois a casa agora é nossa também. Como temos nosso banheiro privativo, ele não se demora com o da sala, e aí decidimos deixar as coisas como estão e sair logo para comer.

Eu queria me arrumar mais, tirar a roupa de viagem, mas na pressa dos meninos apenas penteio meu cabelo e passo um batom, então pegamos o carro novamente e dirigimos até o McDonald's mais próximo. Ao me manifestar dizendo que eu imaginava que comeria comida italiana de verdade na Itália, Enzo ri e Miguel diz que haverá muito tempo para isso. Concordo de imediato quando vejo um hambúrguer gordo e barato que combina com a minha fome.

Enquanto comemos, Miguel e Enzo põem a conversa em dia e aproveito para conhecer melhor meu novo colega de apartamento. Ele também me faz várias perguntas. Já consigo perceber que ele é uma pessoa equilibrada, alegre e até mesmo um pouco tímido. Ele não prolonga alguns assuntos e, comparado ao Miguel, fala baixo, fazendo menos uso de gírias e palavrões.

— Você nasceu na Itália, então? — pergunto.

— Sim. Os meus pais são italianos. Morei aqui até os onze anos, e depois minha mãe arrumou um emprego no Brasil, a irmã dela se casou com um brasileiro, então acabamos ficando lá por um bom tempo. Meus pais voltaram, eu fiquei, depois voltei... e fiquei nesse vaivém. — Ele sorri. Enquanto fala, noto seu sotaque, o qual não nega que ele é um estrangeiro, mesmo tendo morado tantos anos no Brasil.

— Sou italiana também, não sei se o Miguel te contou. Mas nunca morei aqui. — E conto a ele sobre a ascendência do meu pai que, pelas leis italianas, me deu o direito de ser acolhida pelo país.

— Você tem de aprender italiano, Bianca! Onde já se viu uma italiana que só fala português? — provoca ele, bem-humorado.

— Sim, eu sei, quero me matricular num curso. Você conhece algum? Tenho apenas noções básicas.

Ele me indica uma escola e diz que me levará lá na segunda-feira mesmo para fazer minha matrícula. Fico feliz por ter essa expectativa. Saber que estou fazendo algo útil é tudo o que desejo, e meus pais principalmente.

— Também quero arrumar um emprego — digo.

— Mas, Bia, você não vai me ajudar na empresa? — questiona Miguel. — Na segunda já tenho de ir checar as coisas e talvez eu precise de uma mãozinha...

— Sim, eu sei, claro que vou te ajudar quando precisar, mas tenho de conseguir um dinheiro por mérito meu. Estou pensando em pesquisar anúncios que procurem babá ou passeadora de cachorros, ou garçonete, ou vendedora, qualquer coisa assim. Empregos temporários, mesmo.

Miguel ergue as sobrancelhas. Eu ainda não tinha compartilhado aqueles planos com ele, mas o que ele esperava? Que eu fosse ficar sentada em casa o dia todo, aguardando ele pedir minha ajuda, ou "turistar" e gastar todo meu dinheiro no primeiro mês?

— Sim... vou dar uma olhada para você, mas por enquanto você pode procurar no jornal ou na internet — diz Enzo, em suporte. Fico agradecida por ter um nativo disposto a me situar.

Terminamos de comer e voltamos para casa, quando eu e Miguel já estávamos completamente exaustos. Caímos na cama, nem ligamos para a bagunça ou qualquer outra coisa. Durmo feito uma pedra pelas próximas dez horas.

3

♪ PLAYLIST:
Un'Altra Botta – Marco Mengoni
Gust of Wind – Pharrell Williams

Domenica. Esse é o dia da semana antes de *lunedì*, segunda-feira, como me explica Enzo, e até Miguel sabe disso; na verdade, Miguel precisou estudar bem o idioma para abrir o seu negócio, que vem sendo planejado há anos. Não vejo a hora de começar o curso de italiano, mas hoje quero me divertir e quem sabe poder ver de perto o que vi ontem apenas de dentro do carro.

Seguindo o típico roteiro turístico de quem tem um dia para visitar tudo o que há de interessante, primeiro vamos ao Coliseu, enfrentamos a fila, pagamos a entrada e lá dentro fico fascinada com a grandiosidade daquela estrutura, imaginando como ela deveria ser na época do Império Romano, com os gladiadores e todo o espetáculo sangrento na arena. Em meio a tantos turistas, em uma edificação de arquitetura tão fascinante, é fácil esquecer a verdadeira razão de aquilo um dia ter sido construído.

Tiramos fotos um do outro, eu e Miguel, em poses normais e engraçadas, enquanto Enzo apenas ri, afinal, por que tirar foto se tudo aquilo está bem ali em seu quintal? No entanto, ele aceita se juntar a nós num registro dos três com a arena e a circunferência das arquibancadas de fundo.

Em seguida aproveitamos nosso bilhete para ver o Foro Romano, as ruínas da Roma antiga, e caminhamos por um longo caminho de relíquias arqueológicas e com escavações ainda em progresso. Observar todas aquelas antiguidades me traz muita curiosidade e me instiga a pegar um livro de história assim que chegar em casa.

De lá, caminhamos até as próximas atrações. A maioria dos turistas tem um mapa na mão, porém nós temos Enzo, e ele se mostra um exímio conhecedor de sua cidade. Passamos pelo Altare della Patria, um monumento a Vittorio Emanuele, o primeiro rei da Itália após a unificação do país. É um edifício que parece um palácio antigo, todo branco, com esculturas no topo muito legais, de quadrigas guiadas por anjos. Enzo chama o prédio de "Bolo de Noiva" por causa do seu exagero arquitetônico, e caio no riso, achando que de certa forma ele tem razão, mas sem saber se foi ele quem inventou o apelido ou se este já existe na cultura local, mas, no fim, acabo me esquecendo de perguntar.

Nossa próxima parada, a Fontana di Trevi. Fico impressionada com aquela linda estrutura, rica em detalhes — uma parede branca com estátuas e pilares que se assemelham a colunas gregas —, fazendo fundo para uma grande fonte de águas azuis. Há centenas de pessoas ali e mal conseguimos nos mover para poder ver de perto.

Descendo os degraus e nos espremendo por entre as pessoas com câmeras no pescoço e celulares diante do rosto, enfim, achamos um espacinho na borda da fonte. Não tiro nenhuma foto até ter apreciado toda a perfeição da bela peça de arte. Aquele lugar passa a ser o meu ponto preferido em Roma até aqui. Não sei explicar, mas a fonte me impressionou até mais do que o Coliseu.

Vejo pessoas jogando moedas dentro da água e reparo que de fato há um pequeno tesouro no fundo da fonte. Enzo nos explica que é tradição que se faça um pedido enquanto lança uma moeda, e que você deve estar de costas e jogar com a mão direita por cima do ombro. Nunca fui de acreditar nessas coisas de poço dos desejos, amuletos nem mesmo em jogos de azar. Sei que Miguel também não, então, quando o observo tirar vinte centavos da carteira, imagino que ele está só entrando no clima da brincadeira. Ele me oferece uma moeda para que eu a jogue também, mas me recuso.

— Não, obrigada. Já tenho tudo o que desejo no momento. — Sorrio para ele, e Miguel me dá um beijo na bochecha.

— Eu sempre posso pedir por prosperidade na empresa... — Ele se explica.

— Miguel, você não deve contar seu desejo! — repreende-o Enzo com um sorriso.

— Ops! — Miguel espreme os lábios e joga a moeda de costas, fingindo ser um acidente. Apesar de eu achar que seu desejo poderia estar relacionado a nós dois, percebo que é um pensamento egoísta e acabo acompanhando o riso deles.

— Achei que você queria um emprego, Bianca. — Enzo me estimula a jogar a moeda que Miguel botou em minha mão. Balanço a cabeça.

— Esse é um pedido muito humilde para a Fontana di Trevi. Ela deve se ocupar com desejos como de amor eterno, ou de um filho para uma futura mamãe, ou mesmo um talento verdadeiro para aquele cara... — Aponto com a cabeça para o garoto ruivo que tenta cantar uma ópera italiana ali perto. Enzo ri.

A verdade é que quero guardar meu desejo para quando eu realmente precisar. Sei que é uma besteira, não acredito nessas coisas, mas, enfim, Roma tem sido mágica até agora, então por que não continuar aproveitando essa aura mística da cidade?

Da Fontana vamos ao Pantheon, com sua cúpula legal e a mistura particular de cristianismo e paganismo, e achamos uma igreja pelas redondezas que Enzo diz que precisamos ver, a Sant'Ignazio di Loyola in Campo Marzio. Ao entrar nela experimento uma agradável surpresa, pois aquele é o teto mais incrível que já vi. As cenas celestes são lindas e bem pintadas, formando algo como se fosse um efeito 3D inacreditável. Tenho vontade de deitar no chão e ficar horas observando.

Completamos o passeio andando até o Vaticano, que é um pouco longe, mas nada impossível para jovens aventureiros, e ao chegarmos à Piazza San Pietro (e, principalmente, ao interior da Basílica), não me arrependo nem um pouco de ter exigido um pouco mais dos meus pés. A visão é maravilhosa, e me sinto transportada para algum dos filmes a que já assisti ambientado ali; sem contar, claro, as notícias e transmissões do papa pela TV.

Fechamos o passeio tomando um dos melhores *gelatos* da cidade, segundo os índices de pesquisas. A degustação me causa um certo devaneio pelo prazer de experimentar aquela que talvez seja a oitava maravilha do mundo. Enquanto isso, os meninos riem de mim.

Depois de mais uma volta no principal centro comercial de Roma, a *Via Del Corso*, estamos todos famintos e decidimos finalmente comer uma legítima *pasta*. Enzo tem uma porção de lugares como sugestão, e acabamos decidindo pelo mais próximo, uma vez que hoje estamos somente usando as nossas pernas para percorrer de um ponto a outro do circuito turístico que, afinal de contas, não é tão grande assim.

Todos os lugares estão lotados de visitantes de diversas nacionalidades, incluindo o restaurante onde acabamos nos sentando do lado de fora. Miguel pede um vinho e Enzo concorda que devemos provar, principalmente depois que conto que na minha casa tomar a bebida nos jantares é quase um ritual do qual eu normalmente tenho de ficar de fora por me acharem nova demais para o hábito. Ali, naquele momento, sinto-me completamente feliz pelo passo que dei em direção à minha independência. Brindamos a isso.

O vinho tem um sabor ótimo. Enquanto apreciamos a deliciosa refeição, continuamos a conversar sobre o que vimos e vivemos naquele dia. Somos um ótimo trio. Já me considero menos insegura e acho mais fácil trocar algumas palavras com Enzo, não estou mais tão tímida perto dele.

Miguel provoca dizendo que "o nerd está de volta", porque hoje ele decidiu sair de óculos de grau e uma camiseta do Capitão América, uma vez que está fazendo muito calor, e Enzo comenta que nessas ocasiões, em que é preciso caminhar muito, não vê sentido em se vestir de modo elegante, prefere algo mais despojado e confortável. De fato, ele se parece mais com uma pessoa normal — cabelo meio bagunçado, tênis de corrida — e consigo enxergá-lo mais facilmente sentado em minha turma de psicologia em vez de num desses programas da TV de fofocas e celebridades.

— É sério, Bia, ele era o maior nerd de todos. Viciado em todo tipo de quadrinhos, videogames e séries de fantasia, sempre com notas exemplares... — explica Miguel.

— Magro, feioso... é, eu sei. — Ele balança a cabeça em reprovação a si mesmo, achando graça e ao mesmo tempo um pouco embaraçado.

Recordo-me das fotos que vi e realmente não notei nada da beleza que vejo agora, como se a imagem do velho Enzo fosse tão comum que tivesse sido registrada e apagada logo em seguida de minha mente.

— Não se preocupe, eu era uma coisinha horrível no ensino fundamental — compartilho minha história. — Usava aparelho nos dentes, óculos feios, tinha cabelos armados e era cheia de espinhas... — admito, encabulada. Miguel ri de mim.

— Caraca, ainda bem que não te conheci nessa época! Quero ver fotos, Bia!

— Ah, mas é claro que não. Você acha que ainda guardo fotos dessa época bizarra?

— Tenho certeza que sim, só preciso achar... — Ele ergue uma sobrancelha com um olhar travesso. Aperto sua bochecha de forma dolorosa com meus dedos.

— Desculpa, mas não consigo imaginar isso, Bianca — comenta Enzo. — Como pode você ter sido feia um dia? Impossível.

Fico corada diante da observação supostamente elogiosa. Olho para Miguel para ver a reação dele, ele parece concordar. Ele dá uma leve espremida outra vez em minha bochecha, mas de maneira gentil, e fico aliviada por não ter havido um clima estranho. Imagino que Enzo estava apenas sendo espontâneo, mas então noto que sua declaração o deixou sem graça também. Ele bebe seu vinho enquanto me dou conta de que gostaria de dizer o mesmo a respeito dele. Acho que a idade fez bem a nós dois.

Miguel sempre foi um garoto atraente para as meninas, me lembro bem, e até nas fotos que vi de quando ele era mais novo, ele parecia de algum modo encantador para um adolescente. Sou ciumenta e acabo ficando um pouco decepcionada por ele não demonstrar o mesmo. Não que eu queira um cara superciumento pegando no meu pé, ah, não, mas o sentimento de ciúme demonstra que a pessoa se importa e gosta, não? Às vezes acho que Miguel no fundo gosta quando outros caras me acham bonita. Como se isso fosse uma espécie de autoafirmação para ele, sei lá.

Tento direcionar os pensamentos para outra coisa e sorrio com os dois sobre o novo assunto de que estão falando: o grupo de chineses do lado de fora do restaurante que são a típica descrição do turista “farofeiro”.

Quando voltamos para casa, minhas pernas doem e vejo que tenho algumas queimaduras de sol nos ombros. Enzo está ainda mais vermelho do que eu, devido ao seu tom de pele mais claro que o meu. Peço a ele que use o protetor da próxima vez e ele jura que vai acatar minha dica.

Fico bastante chocada quando ele começa a tirar a camiseta na sala — enquanto estou sentada no sofá teclando com a minha mãe — e até mesmo *as calças*. Sei que para homens é normal andar de cueca quando estão num ambiente masculino. Vejo isso como uma prova de que ele me considera "um dos caras", mas não consigo me impedir de olhar para seu corpo com certa admiração.

Bem, na verdade, com *bastante* admiração.

Ele comenta com Miguel em um italiano rápido que precisa de uma loção pós-sol. Miguel lhe passa o frasco e Enzo busca a toalha em seu quarto. Como Miguel age com naturalidade a tudo, percebo que há um "código masculino" em vigor. Mantenho os meus olhos no celular, forçando-me a não espiar, mas falho vergonhosamente.

— Bianca, está muito ruim aqui atrás? — Ele para de costas para mim, segurando o pescoço, que está bem vermelho. Levanto-me e, meio sem graça e tensa, observo sua nuca e ajudo-o a espalhar a loção pós-sol nela. Ele entra no banheiro em seguida, muito grato. Respiro fundo.

Saio para tomar meu próprio banho na suíte e começo a desfazer as minhas malas. Como Miguel é preguiçoso, tenho de ajudá-lo com as dele. Suas chantagens sempre me fazem ceder. Em quase tudo.

Explorando a sala, depois do serviço feito, analiso a estante de livros e descubro um monte de tesouros. Há livros que já li, trilogias e séries em italiano e inglês (e até em português) de que nunca ouvi falar e algumas poucas bem famosas. Nas prateleiras mais baixas, enormes pilhas de *mangás*, quadrinhos de super-heróis conhecidos e também publicações independentes. Enzo para logo atrás de mim, esperando minha conclusão.

— É uma bela coleção. — Viro-me para ele com um sorriso. — Vários me interessam. Posso pegar emprestado para ler?

Ele parece feliz com o pedido.

— Claro, fique à vontade.

Permanecemos ali, conversando sobre livros que lemos e recomendamos, e quando Miguel aparece decidimos sentar para assistir a um filme de ação, com pipoca e tudo. O sofá vira quase uma cama e fico no meio, entre os dois, que tomam bastante espaço. Tento me sentir à vontade, mas é meio difícil.

Lá pela metade do filme, Miguel está exausto e entediado com a história. Quando sua cabeça começa a descer em direção ao meu ombro e vejo que ele fechou os olhos, mando-o ir dormir. Ele pede para que eu vá com ele — sei que, mesmo cansado, ele não vê a hora de ter alguma diversão comigo —, mas estou interessada em saber o final do filme, então fico.

O filme — embora seja realmente meio idiota e irrealista —, de maneira estranha, acaba me prendendo. O mesmo parece ocorrer com Enzo, pois ele não aparenta nenhuma sonolência e seus olhos piscam com atenção para a tela. Agora, sem Miguel do outro lado, fico sem saber como me posicionar, se devo me afastar um pouco para lhe dar espaço ou se isso seria meio estranho, como se eu estivesse com medo dele ou algo assim. Decido permanecer na mesma posição.

— Então, que horas você quer ir amanhã se inscrever no curso de italiano? — pergunta após um tempo, ainda olhando para a TV.

Dou de ombros, engolindo uma pipoca dura.

— Não sei. Você não tem aula?

— Estou de férias — diz ele relaxado e me olha rápido. Percebo que estou meio perto demais, devia ter ocupado o outro lado...

— Ah... — digo apenas.

— Mas normalmente tenho outras tarefas. Costumo visitar um hospital como voluntário e estou dando aulas particulares de violão e guitarra.

— Hum... — Ergo as sobrancelhas ligeiramente. Enzo continua, agora não me olhando mais. De qualquer forma, está escuro, portanto não acho que ele consiga reparar muito em minhas expressões.

— Amanhã estou livre, só tenho compromisso no fim da tarde.

— Tudo bem, por mim podemos ir de manhã, lá pelas onze. Está bom pra você? — pergunto, olhando para o relógio que brilha no escuro na parede, o qual informa que já passa das duas da manhã.

— Sim, combinado. — Ele me dá um sorrisinho. Retribuo, agradecida. — Miguel provavelmente vai ter de acordar cedo para ir à loja. Ele não te pediu para ir com ele?

— Não, ele disse que eu poderia resolver as minhas coisas. Amanhã ele vai se encontrar com os sócios. Prefiro não atrapalhar.

— Ah, entendo...

E continuamos assistindo ao filme em silêncio. Em uma parte estou meio perdida e pergunto a Enzo o que está acontecendo. Minha cabeça já perdeu um pouco da concentração, estou cansada e meus pensamentos ficam migrando para o que vou fazer durante os próximos seis meses, como Miguel vai se sair em seu negócio e como vou me virar ali sem a minha melhor amiga por perto. E se Miguel passar a ficar tão ocupado que terei de fazer tudo sozinha? Talvez eu precise fazer mais amigos...

— Aaah — Enzo faz um som de descrença, apontando com o braço para a tela, quando uma revelação absurda acontece numa cena, como que dizendo: "Fala sério! Querem que a gente engula isso?". Ele olha para mim, rindo. — Por que estamos assistindo a isso mesmo?

— Não sei. — E também dou um sorriso, balançando a cabeça para os lados. — É ridículo mesmo, Miguel tem razão.

— Quer ver o resto?

— Já sofremos até aqui, vamos até o fim — decido.

E ficamos para conferir os vinte minutos restantes. Como imaginávamos, é estúpido e previsível, arruinando a minha esperança de um roteiro em que ao menos o final pudesse ser inteligente. Puro engano.

— Pelo menos vimos umas explosões legais — digo, procurando fazer um balanço positivo. Enzo sorri.

— Sim, *è vero*... — Ele se levanta. — Bom, estou indo dormir. Até amanhã, Bianca.

— Até amanhã — respondo, arrastando-me para fora do sofá também. Ele entra no quarto e eu, na cozinha; jogo fora o resto de pipoca e vou para o quarto. Miguel está desmaiado, mas, quando deito na cama e ela range, ele acorda.

— Ei... como foi o filme? — murmura, meio dormindo, meio acordado.

— Ruim.

— Ah, que bom. — Ele reage como se não tivesse ouvido. Dou um risinho silencioso. Suas mãos se esticam para me abraçar. Viro-me para ele e dou um beijinho em sua testa, depois em seus lábios, e digo:

— Durma bem. Você colocou o alarme? Não esquece de acordar cedo amanhã.

— Sim, sim... — murmura ele e parece relaxar todos os músculos, pronto para dormir.

Quando me enfio debaixo das cobertas, meu celular apita baixinho. Tiro-o da cômoda e olho para a tela. É cedo ainda no Brasil, me lembro, vendo o nome de Mari anunciar a mensagem.

Mari*: Amiga, cadê os babados?*

Reflito por um segundo antes de responder. Eu já havia lhe contado sobre o passeio turístico e como era o apartamento. Penso um pouco e então percebo uma coisa. Um sorriso se forma em meu rosto.

Bianca*: Mari, acho que encontrei o europeu que você me pediu...*

Ela envia uma série de emojis felizes, seguidos por um:

Mari*: Aaaai conta conta conta!! Quem é???*

Continuo rindo em silêncio. Miguel não acorda. Digito:

Bianca*: O Enzo...*

Ela leva uns dois segundos para responder.

Mari*: Jura, amiga? Ele é bacana??*
Bianca*: Muito.*
Mari*: Bonito?*
Bianca*: Veja você mesma...*

E mando o link do perfil dele, sabendo que essa é a próxima coisa que ela vai me pedir. Desta vez, um minuto se passa até que o meu celular vibra de novo.

***Mari**: OMG!!! Ele é lindoooo...*

Respondo com um "hahaha". Fico imaginando Mari em seu quarto, roendo as unhas de empolgação.

***Mari**: Caraca, Bi, e você tem certeza que ele não tem namorada?*
***Bianca**: Tenho. O Miguel já tinha me dito. Agora, se ele tem um rolinho aí acontecendo às escondidas, já não sei...*
***Mari**: Ah, mas nisso eu dou um jeito. Espanto essa mocinha em uma semana.*

Respondo com mais risadas. Minha amiga é louquinha, mas é uma garota de ouro, e, depois de perceber que Enzo é um rapaz bacana que merece uma garota bacana, fico mais do que feliz de apresentar os dois e ver se conseguem encontrar o amor um no outro.

***Mari**: Bi, preciso comprar minha passagem agora!! Hahaha! É sério, vou me programar.*
***Bianca**: Eu sei que você merece um cara legal, Mari, e espero que Enzo seja ele, mas também mal o conheço, então vai com calma.*
***Mari**: Pode deixar!*

Mas eu sei que o estrago está feito. É claro que Mari vai criar expectativas, como sempre faz, e eu não quero que ela sofra nenhuma mágoa. Já aconteceu outras vezes, até demais...

Sentindo-me meio arrependida de ter jogado isso assim tão cedo, ponho o celular de lado, no silencioso, e viro-me para dormir. Preciso do apoio do Miguel, então o abraço, e ele, ao sentir minhas mãos, puxa-me para perto e beija meu rosto.

— Acho que fiz uma coisa precipitada...

— Hum... — responde ele sonolento.

— Instiguei Mari a se interessar por Enzo.

Miguel abre os olhos.

— Ele não tem namorada, não é? — pergunto.

— Não.

— Nenhum rolo?

— Isso já não sei. Não que ele tenha me contado — responde Miguel com uma voz cansada e pressiona sua face direita contra a minha cabeça.

— Só achei que os dois podiam combinar... Ela precisa de um cara legal.

— Você achou o Enzo um cara legal?

— Sim.

— Relaxa, Bia — diz ele, querendo voltar a dormir. Mas ainda não acabei.

— Você pensa que é uma boa ideia? Porque a Mari, quando está determinada numa coisa... você conhece.

— Eu sempre tentei apresentar garotas para ele, mas o Enzo é complicado. Ou acho que as garotas é que são complicadas demais para ele, sei lá...

Uma coisa me vem à cabeça com desespero.

— Ele não é gay, é?!

— Não! — Miguel ri. — Não, relaxa. O problema é que ele é muito certinho, muito tímido e fechado... não deixa qualquer pessoa entrar, entende?

— A Mari é muito espontânea, se depender da iniciativa dela...

— É, isso pode garantir que a pegação aconteça mais rápido, mas não garante um relacionamento.

Depois disso, ele não consegue mais ficar acordado e dorme em meus braços. Removo-o devagar para o outro lado antes que eu fique com os braços dormentes e fico ponderando sobre suas palavras até o instante em que caio no sono.

4

PLAYLIST:

Here We Go – Mat Kearney

Fallback – Sleeperstar

Às dez e quarenta já estou pronta, sentada no sofá, esperando Enzo. Ele sai do banheiro com os cabelos ainda molhados, logo seu perfume se espalha pela sala. Sinto uma sensação estranha no estômago.

— Bom dia, Bianca!

— *Buongiorno*, Enzo — respondo com quê de astúcia. Ele pisca, sorrindo, e entra na cozinha.

— Já tomou café? Vou só preparar um *cappuccino* e beliscar uns biscoitos.

— Não se preocupe, fique à vontade, não estou com pressa.

— Não quer comer? Posso fazer uma caneca pra você também.

— Ah, tudo bem então. Obrigada. — E sigo até a mesa, perguntando-me quando vou parar de me sentir sem graça perto dele. Miguel me falou da timidez de Enzo e, de fato, a noto, mas é como se a cada dia que o conheço ele se tornasse um pouco mais aberto e natural. Sinto que a barreira inicial da "estranheza" foi rompida por ele. Já sou da casa. Falta apenas que *eu* me sinta como tal.

Sento em uma das cadeiras enquanto ele esquenta o leite no fogão.

— Miguel saiu na hora? — pergunta ele.

— Sim, acho que sim. Bom, na verdade, acabei dormindo tanto que nem percebi quando ele saiu.

Ele ri discretamente. Sua vermelhidão diminuiu, mas ele ainda tem as bochechas meio coradas do sol.

— Você entende algo de negócios? — pergunto. — Miguel te pediu ajuda com a loja?

— Ah, não, não. — Enzo tira a panela do fogo e transfere o leite para duas canecas, em seguida derrama o pó do café dentro delas e mistura. — Ele sabe que não levo o menor jeito, minha área é engenharia elétrica.

Enzo caminha até a mesa e me entrega uma das canecas. Agradeço.

— Pode comer. — Ele aponta para um pote de biscoitos. Roubo dois.

— Vou ao mercado hoje — digo.

— Quer que eu te leve de carro?

— Não se preocupe, vou comprando aos pouquinhos.

— Ah, eu ia te falar! — Ele ergue a mão ligeiramente. — Tem um amigo meu que trabalha num restaurante e ele disse que estão precisando de alguém.

— Jura? — Fico empolgada de repente.

— Sim, sim, vou pedir mais informações a ele e te passo.

— Legal, muito obrigada.

Ele olha para o relógio em seu pulso, que, aliás, é de muito bom gosto, e toma o *cappuccino* apressadamente.

— Melhor irmos antes que dê o horário de almoço — diz.

Bebo rápido o resto do conteúdo da minha caneca, pego a minha bolsa e saímos de casa.

O dia está ensolarado, o que só deixa Roma ainda mais bela e agradável. Decidimos ir a pé para que eu aprenda o caminho, já que passarei a fazê-lo praticamente todos os dias. Ao caminharmos, conversamos sobre as estações do ano e sobre como tudo se parece em Roma em cada época.

Enquanto aprecio a paisagem e tiro fotos de uma coisa ou outra com meu celular, digo a Enzo o meu desejo de ser menos *mainstream* e fazer a coisa ao bom e velho modo romântico, com o uso de uma câmera analógica, daquelas com filme e totalmente manuais que meu avô tinha.

— Manuseá-las já é uma arte em si — digo para completar o meu pensamento. Enzo concorda, mas afirma que ele próprio não tem nenhuma habilidade para a coisa e até as suas fotos feitas com o celular saem ruins. Caio no riso.

Falamos em seguida sobre a amizade dele com o Miguel, como se conheceram, por quanto tempo estudaram juntos etc. Em certo ponto, Enzo me diz:

— Fico muito contente de te conhecer e ver quanto você faz bem a ele. As namoradas que ele teve antes não foram muito bacanas...

Aproveito a oportunidade para fazer perguntas. Afinal, nada melhor que o melhor amigo do namorado para te contar alguns detalhes que você jamais saberia.

— Miguel nunca me fala das ex-namoradas dele. Já andei espiando as duas últimas na internet, mas é só o que sei...

— A primeira não durou muito. Seis meses. Ela era meio chatinha... — Ele sorri, franzindo o cenho. Dou uma leve risada, satisfeita. — A segunda, que você espertamente já espiou... — diz ele, parecendo se divertir com aquilo. Mas, antes que ele continue, completo:

— É bonita...

— Sim, mas o traiu.

Arqueio as sobrancelhas.

— E a terceira?

— Eu não estava mais no Brasil na época que eles namoraram. Ouvi dizer que ela era legal, mas um dia ela percebeu que ainda estava apaixonada pelo ex-namorado e terminou com o Miguel.

— Oh...

Enzo olha para mim.

— Não se preocupe. Você é a mais bonita delas. E a mais legal, até então.

Dou um sorriso — sem graça, é claro, mas honesto — e viro o rosto para esconder o meu rubor. Não acho que seja de propósito, mas o elogio dirigido a mim parece deixá-lo tão sem jeito quanto eu, portanto noto que ele se dá conta de que deve parar de fazer isso.

— Bom, essa última ex foi recente... — comento. — Ela ainda está com o ex-namorado?

— Não sei... perdemos contato. Ela deletou os perfis dela nas redes sociais também.

— O cara deve ser ciumento — digo, pois as minhas amigas que fizeram isso foi por causa de namorados muito enjoados. — O Miguel não se desencantou dela quando aconteceu... porque foi iniciativa dela, certo? Será que ele ainda pensa nela?

— Ah, duvido, Bianca. — Ele me olha de forma intensa. — O passado está enterrado. Já tem um ano e meio isso.

Prefiro não me debruçar no assunto e, por sorte, a escola de idiomas está logo à frente. Entramos. No prédio, Enzo começa a falar tudo por mim em italiano, até que descobrimos que a moça da recepção fala inglês, e aí tomo a palavra.

Realizo a minha matrícula, faço o pagamento e em alguns minutos estou inscrita na classe de iniciantes, e recebo a informação que a turma em que me matriculei inclui gente de várias nacionalidades. Como a turma começou há duas semanas, amanhã já tenho de comparecer para não me atrasar ainda mais no conteúdo.

Quando terminamos, Enzo está teclando no celular e, a caminho de casa, ele me diz que vai almoçar com um amigo.

— Tudo bem, acho que sei voltar — respondo. — Divirta-se e obrigada pela gentileza de me acompanhar. Você não precisava se incomodar com isso.

— Não se preocupe, Bianca. — Ele nunca diz meu nome abreviado, e eu gosto disso. Soa muito bem em seu sotaque italiano.

Estou mudando de direção e dizendo um *ciao* quando ele chama meu nome naquele sotaque outra vez, fazendo-me virar o pescoço. Seus lábios estão sorrindo. Não sei por que, mas algo em meu modo de agir e falar sempre o faz mostrar esse sorriso.

— Quer almoçar com a gente?

Talvez ele tenha pensado que preciso de amigos e companhia. Acabo aceitando, porque é verdade.

— Ah... tá. Seu amigo não se importa?

— Não, claro que não. Venha. — Ele me chama com as mãos.

Voltamos à nossa caminhada juntos. Ele começa a me contar como conheceu esse amigo, até que chegamos ao restaurante onde devemos encontrá-lo. O local é bem charmoso e acabamos esperando o amigo de Enzo por uns vinte minutos. Enquanto isso, mando uma mensagem a Miguel, mas ele não responde.

Quando Luciano, o amigo de Enzo chega, — um rapaz esguio de cabelos castanhos até os ombros e nariz bem fino e longo —, descubro que é ele quem vai me apresentar ao meu potencial primeiro emprego temporário na Itália. O restaurante em que ele trabalha no turno da noite fica a uma rua dali, e muito provavelmente cobrirei aquele turno também.

Pedimos nossa comida e, em um determinado momento, fico aliviada que Miguel me responde que está indo nos encontrar lá para o almoço, pois Enzo e Luciano estão entretidos em uma conversa em italiano da qual não entendo absolutamente nada.

Enzo enfim percebe que estou entediada e pede desculpas, mas seu amigo, mesmo sabendo falar inglês, sempre leva a conversa de volta ao italiano. Enzo me olha com um pedido de desculpas e sorrio, balbuciando um baixinho "tudo bem". Morando na Itália, sinto que é uma obrigação minha conhecer minimamente a língua.

Miguel então chega e se senta conosco, me dá um beijinho e começa a contar como foi lá, mas aí, depois, como se tivesse tomado consciência da presença do outro garoto, continua os relatos em italiano. Quando reclamo, ele diz que me conta o resto em casa.

Fico me distraindo com o celular, para que não pareça tão deslocada, aproveito então para contar a Mari as novidades, sobre o curso de italiano e... sobre Enzo. Digo a ela que ele é muito legal, tem sido superatencioso, e que conseguiu um emprego para mim. Ela comemora, feliz pelos meus avanços e por saber que seu "prometido" está se provando cada dia melhor. Enquanto digito, tento tomar o cuidado de não deixá-lo ver minha tela, pois aquela seria a coisa mais embaraçosa do mundo. Ele está sentado na ponta da mesa, à minha esquerda, e fico reparando em seus detalhes para repassar a Mari. Sinto-me ridícula, mas o faço, discretamente.

> ***Bianca**: Cabelos lisos, meio arrepiados, bastante loiros, olhos verdes azulados...*
> ***Mari**: Melhor cor.*
> ***Bianca**: Hoje ele está elegante, sem a camiseta do Capitão América.*
> ***Mari**: Melhor assim.*

De certa maneira, não concordo. Quer dizer, claro que ele fica mais elegante quando se veste bem, mas tem algo no estilo nerd que me atrai muito (talvez por eu também ser uma nerd).

Então me reprimo. *Eu* não devo pensar nessas coisas.

Miguel tem de voltar para a loja, e eu decido ir resolver as minhas coisas sozinha. Enzo e Luciano ficam no restaurante. Ambos me lembram de estar no *Trattoria La Grande* às oito da noite para a entrevista.

Como decidi que vou comprar uma bicicleta para facilitar minha vida, essa é a primeira coisa que faço. Sigo as instruções dos garotos para chegar à loja mais próxima e faço a compra mais útil da minha temporada (depois do chip para o celular, claro). Saio de lá com uma charmosa bicicleta azul, com uma cestinha à frente do guidão. Ando com ela por alguns quarteirões para ver se já me acostumo a ela e a paro na frente do mercado perto de casa para comprar alguns suprimentos. Entro no apartamento quando já está quase escuro e começo a preparar o jantar.

Enzo chega sentindo o cheiro da receita de família do meu pai, o famoso *penne* com molho branco, do jeito especial dos Marino.

— Hum... já vejo uma legítima italiana em formação.

— Vem comer. Fiz o suficiente para nós três.

Ele parece surpreso e me diz que não tenho obrigação de cozinhar para ninguém ali além de mim mesma, mas eu digo que não me importo, e ele percebe que é como um pagamento pelo café da manhã que preparou para mim, e, bem, por todo o resto.

Estamos prontos para comer e Miguel me manda uma mensagem dizendo que não deverá chegar pelo menos nas próximas duas horas. Tento esconder a minha decepção, mas fico feliz de pelo menos Enzo estar ali para comer e eu não ter de degustar sozinha a minha maravilhosa *pasta*.

Quando terminamos — eu inundada de elogios dele, que inclusive diz que se provarem no restaurante vão querer me promover a *chef* —, vou tomar banho e já me aprontar para ir à *Trattoria*. Sou bastante rápida e, ainda faltando uma hora para as oito, sento no sofá para assistir a Enzo jogar videogame.

— Conheço esse jogo. Nunca consigo matar aqueles zumbis brancos que surgem no depósito — comento. Enzo parece surpreso, como se meninas não devessem gostar desse tipo de coisa. Sei que não é normal, então levo com naturalidade a reação.

— Sério? — pergunta ele com as sobrancelhas levantadas. — Essa parte é difícil mesmo. Foi Miguel quem te ensinou a jogar?

— Miguel não joga mais videogame desde que começamos a namorar. O pai dele cortou, disse que ele precisa "virar adulto". — O personagem de Enzo quase morre, imagino que por culpa da distração dele com a nossa conversa. — Eu tenho um videogame porque os meus irmãos gostam de jogar aquelas bobagens de homem-bolha e a coisa toda. Aí, claro, acabei comprando uns jogos para mim. É uma guerra lá em casa, normalmente. Acho que os meus irmãos estão contentes agora.

Então falo sobre Breno e Matheus, a iminente separação dos meus pais e como fiquei aliviada de deixar o ambiente, apesar de amá-los. Ele compreende e me garante que a experiência de morar sozinho é ótima para que você possa conhecer a si mesmo.

Enfim percebo que tenho de me apressar. Ele se oferece novamente para me acompanhar, mas digo que vou de bicicleta e saio logo para não causar uma má impressão.

* * *

Consigo a vaga! Eles fazem apenas algumas perguntas e, após a indicação do Luciano, todo mundo confia em mim imediatamente, apesar da minha dificuldade em me comunicar, o que, garanto, já estou corrigindo.

Devido ao meu italiano ainda parco, não poderei atender às mesas diretamente, a não ser que seja um cliente estrangeiro que fale inglês, português ou espanhol (o que, felizmente, acontece muito lá, especialmente agora no período de férias). O inglês dos funcionários — e até do patrão — é bem ruim, e acho que por isso precisavam de alguém novo. Minhas principais tarefas, além dessa, serão na cozinha e atrás do balcão, recebendo os comandos de Luciano, que traduzirá para mim as coisas que porventura eu não entenda.

Saio de lá satisfeita, sabendo que a partir de amanhã já terei uma rotina. Devo tudo a Enzo, e, chegando em casa, dou-lhe um abraço para agradecer. Ele parece genuinamente feliz por ajudar, e, quando Mari me manda uma mensagem naquela noite, fazendo mais planos e perguntas sobre ele, pela primeira vez penso e torço para que *ela* não o machuque.

5

PLAYLIST:
How Many Drinks? – Miguel
Bagnati dal Sole – Noemi

O tão adiado momento finalmente chega, e eu não consigo uma desculpa para impedi-lo. Enzo sai à noite, logo após o meu retorno do restaurante, e Miguel entra no apartamento pouco depois. Fico torcendo para que não tenha havido um "plano" de Miguel com ele. Seria embaraçoso demais.

Miguel parece bastante feliz por termos o apartamento, enfim, para nós dois. Ele come a minha *pasta* requentada e desliga a TV. Vê alguma coisa em seu celular e o conecta às caixas de som. Logo começa a tocar uma seleção de R&B. Eu, sabendo aonde ele quer chegar, fico no banheiro por um tempo longo, dividida entre me aprontar e me preparar psicologicamente. Sei que não sou obrigada a nada, mas fico procurando razões para não querer aquela noite tanto quanto ele.

De certa maneira, acho que esperei tempo demais. Acredito que eu devia ter aproveitado o nosso ápice da paixão, o início do namoro, para deixar as coisas rolarem mais naturalmente. Não devia ter travado. Mas, bom, eu estava com medo de Miguel ser um aproveitador devido à sua fama na época. Medo que no dia seguinte ele me largasse, depois de ter conseguido "o troféu". E esse medo, aparentemente, continuou mesmo após vários meses juntos, e fiquei com a sensação de que isso era tudo o que ele estava esperando antes de se cansar de mim e partir para outra garota. Afinal, há sempre garotas atrás dele...

Sei que tudo isso é um golpe baixo e pouco saudável para mim, para ele e para nós como um casal. Nem sei por que ele aceitou ser conduzido dessa forma. Talvez pelo desafio... pela vontade de se firmar com alguém, de controlar o seu desejo ou de amar de outras formas... não tenho certeza.

O pior é que, agora, após eu me convencer de que uma espera de tanto tempo é mais do que indício de que ele não está só se aproveitando, principalmente depois de ele decidir morar comigo na Itália, o problema é que não sinto mais aquela vontade como antes... É como se eu tivesse perdido algo, talvez uma fase.

As pessoas costumam dizer que sexo é parte fundamental de uma relação, e o fato de não termos tido ainda essa "parte fundamental" me faz pensar que estamos avariados nesse quesito, que para nós não existe aquela coisa de "conexão de dois corpos que ocorre para nos lembrarmos do que sentimos um pelo outro". Foi-se o tempo em que só o toque bastaria. Pelo menos para ele, acho.

Enquanto me vejo presa a esse conflito emocional, Miguel me chama e diz que tem uma surpresa para mim. Olho-me no espelho mais uma vez, dou um profundo suspiro e saio do banheiro. Levo um susto quando vejo velas acesas por todos os lados, na tentativa de Miguel de promover um ambiente romântico. Sorrio. Noto uma rosa sobre o meu lado da cama, com um bilhete...

Você me dá a honra, finalmente, Bianca Marino?

Não contenho um leve riso e avanço para procurá-lo na sala. Ele não me deixa sair do quarto, barra o portal com seu corpo musculoso de academia e me empurra pelos ombros até a cama. O som envolvente do R&B ainda toca. Quando caio no colchão, ele volta para fechar a porta, mas ainda conseguimos escutar a música.

Sem falar nada, completamente sedento, ele tira a camisa, depois o cinto, e vai removendo uma a uma as suas peças de roupa. Eu sinto um calafrio de receio e ansiedade, mas tento parecer calma. Ele sabe que é a minha primeira vez, então espero que ele pegue leve.

Devagar, ele começa a tirar a minha roupa, e eu ajudo. Aquele corpo ele já conhece, mas a expressão em seus olhos me diz que o fato de poder tê-lo por inteiro faz com que para ele seja como me ver pela primeira vez.

Miguel sobe na cama e eu deixo acontecer. Ele conduz a situação e eu apenas faço as suas vontades, ainda temerosa. Tenho medo de doer, de não gostar, de *ele* não gostar. No fim, me forço a relaxar para não estragar tudo. O pensamento mais forte em minha cabeça, porém, é que, Enzo, por favor, não entre em casa justamente agora...

* * *

Sou acordada pelo meu celular apitando. Percebo que ainda é noite e Miguel está no banho. Apaguei por mais ou menos meia hora. Ouço barulhos na cozinha e sei que Enzo já chegou. Olho para mim mesma, faço uma varredura com olhos à procura de danos e concluo que estou bem. Relaxo o meu corpo. Minha cabeça, contudo, está meio estranha e confusa.

Mari: *Bi, me conta.*

Antes de deitar a cabeça no travesseiro, meia hora atrás, escrevi uma mensagem para ela discretamente, dizendo: "Aconteceu".

Penso no que vou responder. Não gosto de falar sobre isso, ainda mais por mensagem, mas não tenho escolha, então apenas faço a anotação mental de apagar o meu histórico. Venho fazendo isso com certa frequência, com medo de que Enzo pegue o meu celular e veja as nossas conversas sobre ele.

Bianca: *Então... sei lá.*
Mari: ***Desembucha, garota. Você sabe que comigo não tem cerimônia.***

Respiro fundo e digito:

Bianca: *Doeu. Não sei se curti.*
Mari: *É normal. É sua primeira vez. Fica melhor, confia em mim.*
Bianca: *Só melhor... ou bom?*
Mari: *Bom, né? Ótimo.*

Aquilo me tranquiliza um pouco. Não quero jogar a culpa no Miguel, tenho certeza de que ele fez bem a parte que cabe a ele. É claro que tive de mentir e dizer que gostei, porque se tratava daquela importante questão que colocamos: não decepcioná-lo depois de uma espera tão grande. Ele me garantiu que foi bom, mas acho que nunca vou saber de verdade se ele está sendo sincero.

Mari*: Você deve ter ficado nervosa demais, isso atrapalha. Muita expectativa.*
Bianca*: Sim...*

Decido que devo parar de pensar nisso e deixar as coisas seguirem. Segundo ela e todo mundo na internet, vou me acostumar, bem, e agora Miguel está feliz, então isso é o que importa.

Mari*: Vocês vão descobrindo com o tempo o que gostam, o que você gosta...*

Miguel destranca a porta do banheiro e apago o histórico imediatamente. Sorrio para ele, que se inclina e me beija. Quando ele se deita para dormir, sinto sua felicidade. Mas talvez não seja uma felicidade plena, apenas o alívio de um passo que avançou.

***

As duas primeiras semanas passam depressa. Adapto-me à cidade de forma até fácil, já sei o caminho para todos os lugares que preciso ir, para as coisas que preciso fazer, basicamente, assim como os ônibus e trens de metrô que tenho de pegar. As aulas de italiano são boas e produtivas, e sinto dia a dia uma evolução em minha capacidade de comunicação em situações corriqueiras.

Já consigo ir ao açougue e pedir por um tipo de carne, e coisas básicas como me desculpar, pedir licença, dizer os principais cumprimentos e até trocar algumas palavras numa conversinha boba. Também compro jornal toda manhã para ler as notícias e assim poder quanto antes me familiarizar com o vocabulário. Ah, e atualizei a minha *playlist* no iPod, incluindo uma seleção de músicas em italiano.

Só não consegui ainda fazer nenhum novo amigo. No curso, todos são ocupados, geralmente pessoas mais velhas, e a garota francesa de minha idade, que se senta perto de mim, pelo menos por ora, não manifestou nenhum interesse de elevar os nossos contatos em sala de aula a um outro nível.

No restaurante, eu me comunico com os funcionários somente o necessário, e, no fim, Luciano acaba sendo o meu ponto de apoio. Ele não é uma pessoa ruim, mas já percebi que não temos o potencial para "melhores amigos". Ele está sempre disposto a me ajudar, porém não faz muito mais do que o básico.

Acho que deve incomodar alguns italianos o fato de eu ser italiana e não ter domínio sobre a língua. Soa como se eu fosse uma italiana "falsificada" ou algo assim. Só agora me arrependo de não ter estudado a língua na oportunidade que o meu pai sugeriu me matricular. Isso ocorreu eu devia ter uns catorze anos. Hoje, eu provavelmente seria, diríamos, uma italiana mais "verdadeira".

Quanto às tarefas que tenho no trabalho, consigo ser eficiente, ocorre de eu ficar um pouco nervosa ao atender às mesas, pois alguns clientes têm sotaque britânico, escocês — e mesmo alguns espanhóis — eu acabo me atrapalhando para compreendê-los. A parte legal é que às vezes ganho uma boa gorjeta.

As coisas com Miguel continuam mais ou menos na mesma. Sim, o sexo melhorou, mas é verdade que eu ainda não consegui achar a minha perfeita harmonia com ele naquela hora, pelo menos aparentemente. Preciso confessar que também não temos muita oportunidade de praticar, pois me recuso a qualquer possibilidade de termos nosso momento se não estivermos sozinhos em casa. Como Miguel trabalha muito e Enzo normalmente fica no apartamento à noite, e eu volto do restaurante cansada, acabo recusando as chances que ele me oferece pelo menos em noventa por cento das vezes.

Na quinta-feira ele me leva para conhecer a loja, a Nuovi Mobili. Vejo que ainda falta muito para que ela esteja em perfeito funcionamento e, ao visitar o escritório dele e notar uma porção de papéis e *post-it* com lembretes por todo lado, entendo que ele deve estar estressado.

Agora, com uma noção da quantidade de trabalho que ele deve ter, eu até o perdoo por tudo o que ele fez nessas duas semanas. Por ele só voltar para casa tarde da noite, por ele não me dar atenção ou carinho o suficiente, por ele dormir enquanto estamos conversando, por ele não me acompanhar em quase nada e por ele não se importar que eu cozinhe.

Preparo o jantar todas as noites, em quantidade suficiente para nós três, afinal, por que não triplicar a porção? Mas normalmente Miguel esquenta o resto quando chega, porque já comi há muito tempo, ou então recusa quando acaba pegando alguma comida rápida na rua. É bem comum ele jantar com os sócios também.

Enzo, por outro lado, está quase sempre em casa e se senta para comer comigo todas as noites. Fico muito feliz por ter companhia e alguém para experimentar as minhas receitas. Percebo que o ato de cozinhar me faz bem, assim como ao meu bolso, uma vez que economizo um bocado.

Depois que comemos, ele sempre me ajuda a lavar a louça, e não consigo não pensar que esse é um momento de criação de vínculos que eu deveria estar tendo com o Miguel. Ele se tornou mais um estranho no apartamento do que o próprio Enzo.

Após comer, geralmente jogamos videogame, de preferência o jogo de zumbis, ou eu vou ao meu quarto assistir a alguma série, ou ler, ou trabalhar no meu dever de casa. Quando tenho dúvidas, pergunto a Enzo, que me ajuda pacientemente. E quando leio algum de seus livros ou quadrinhos, sento-me na sala para comentar com ele sobre a história.

Geralmente, lá para as nove, Miguel aparece. Come o que sobrou, toma o seu banho e se deita na cama, exausto. Temos um pouquinho de tempo para nós dois, mas não é um tempo de qualidade, já que estamos cansados e nossas mentes estão em sintonias completamente diferentes.

Quando Mari me manda mensagens ou falamos por vídeo, sou breve e pouco detalhista. Digo a ela que tudo está indo bem, pois não quero externar algo que ainda não é um problema. Na sexta-feira da terceira semana, ela me dá a notícia de que vai poder vir me visitar no começo de setembro. Converso com os meninos e ambos não veem problema. Digo a ela que pode vir, e Mari, completamente empolgada, começa a pesquisar passagens.

No sábado, ela me avisa que virá no dia cinco de setembro para ficar aqui uma semana e depois vai a Berlim e Amsterdã visitar alguns amigos de intercâmbio. A expectativa de tê-la aqui me dá um ânimo e penso que finalmente terei alguma diversão como nos "velhos tempos". Acho que Mari jogou alguma macumba para eu não fazer nenhuma amizade do sexo feminino, de tanto medo de eu trocá-la...

Estou fazendo hora extra no sábado à noite quando um incidente acontece. Passo uma informação equivocada na cozinha e a confusão tem início. O casal que recebeu o pedido errado começa a reclamar e, como todos os garçons estão ocupados, eles me chamam. A mulher dispara em italiano e eu não consigo entender muito bem o que devo fazer e como devo proceder. Procuro à minha volta por Luciano e lembro que ele não está lá, hoje é o dia de folga dele.

Digo à cliente que chamarei o meu supervisor, mas ela continua argumentando, e o marido dela também, até que Maria, uma das outras garçonetes, se aproxima e tenta consertar a situação. Como a mulher continua falando comigo, percebo que fiz algum tipo de insulto, não tenho a mínima ideia do que eu possa ter feito, e tento me defender, mas, ao não encontrar as palavras em italiano, falo em inglês. A mulher responde, também em inglês: "Estou num restaurante italiano e espero melhor serviço de seus funcionários!". E completa com um "*parla nostra lingua, darling*", o que entendo, e então eu me sinto ofendida.

Começo a bater boca com a mulher irritante. Nem me lembro o que falei — também já não me importo. Signor Salvaggio, o dono do *Trattoria La Grande*, aparece e resolve o problema com o casal. Vou até os fundos do restaurante, bebo água e espero a palavra dele. Estou ciente de que serei despedida, portanto, em nome da minha dignidade, aguardo ele aparecer com a sua cara de bravo e me demito. Eu falo a ele que estou indo embora, tiro o uniforme, recebo o que ele me deve e, finalmente, pego as minhas coisas e saio.

Bem, esse é o fim do meu primeiro emprego temporário. O jeito como eu estrago tudo pela primeira vez.

6

PLAYLIST:

Lovumba – Daddy Yankee (Pex L Remix)

A Sky Full of Stars – Coldplay

Chego ao apartamento arrasada. Enzo abre a porta de seu quarto e me vê na sala com a cabeça deitada no encosto do braço do sofá, parecendo triste. Miguel não está em casa, não faço ideia de onde foi e, naquele momento, pouco me importo.

— Bianca? O que houve?

Ele se aproxima e senta no assento disponível. Olho-o devagar.

— Fui demitida do restaurante.

— Puxa... sinto muito.

E conto a ele o episódio. Enzo concorda comigo que foi uma experiência e devo seguir em frente, que com certeza outras oportunidades vão aparecer.

— O problema é que até achar algo não tenho nada para fazer, apenas as aulas.

Enzo concorda com a cabeça, pensativo.

— Bom, sei que você deve estar procurando algo que lhe dê algum dinheiro, mas se estiver interessada em trabalho voluntário, posso sugerir um...

— Sério? Sim, estou interessada. Posso ser voluntária em horários alternativos.

— Lembra que eu te falei que sou voluntário num hospital? — E me recordo vagamente da informação, de uma conversa de quando nos conhecemos. — Eu visito sempre a ala infantil, onde fiquei internado quando era criança e quase morri.

Sinto um pequeno pulo no coração. Sento-me ereta para ouvi-lo. Consigo ver um garotinho inocente naqueles olhos, um filho exemplar para pais orgulhosos. Sei que ele tem apenas uma irmã mais nova e fico me perguntando como são os seus pais, onde cresceu...

— O que você teve?

— Acabei contraindo uma pneumonia grave.

Continuo observando-o enquanto ele encara as almofadas no assento entre nós.

— Desde que me curei milagrosamente, vou ao hospital doar um pouco do meu tempo disponível para aquelas crianças. Aprendi com os meus pais, que fizeram o mesmo por anos.

Aquilo me emociona e sinto um calor no peito. É como se eu estivesse precisando ouvir sobre as bondades que existem no mundo.

— Quero ir junto da próxima vez — digo com sinceridade. Enzo levanta o olhar e seus lábios formam um leve sorriso.

— Jura? Será muito bacana, Bianca. Tenho certeza de que as crianças vão apreciar.

Sorrio de volta, e aquela conexão que sinto que há toda vez que estamos sozinhos volta com intensidade. Sou assaltada por um friozinho no estômago.

Então olho para baixo, para as minhas unhas, porque aquilo não é bom. Quero dizer, a sensação no meu estômago. Eu não deveria sentir isso.

Me levanto.

— Acho que vou tomar um banho. Onde está Miguel? Ele não me disse aonde ia.

— Ele saiu com uns colegas nossos. Luciano e alguns outros.

Arqueio as sobrancelhas.

— Tipo um happy hour? — Eu não sabia que os amigos de Enzo eram conhecidos do Miguel também, mas, aparentemente, as vezes em que os dois saíram juntos desde que chegamos, ele deve ter sido apresentado a algumas pessoas.

— Da vez que ele foi me visitar na Espanha, eu estava com dois amigos meus, Lara e Giuseppe. Eles estão nesse bar esta noite. E acho que Miguel chamou os sócios também.

Minha boca se entreabre de surpresa. Primeiro, porque achei que os sócios eram caras velhos rabugentos, por serem amigos do pai dele.

Aparentemente, não. E, segundo, porque ele saiu pra farrear, assim, sem nem me dizer nada!

— Ele me pediu para te avisar porque acabou a bateria do celular dele — informa Enzo. — Falou também que você deveria ir lá.

Penso por um instante. Por que não? Preciso tirar o estresse e me divertir.

— Você vai? — pergunto, notando que Enzo está arrumado e cheiroso.

— Sim... estou indo. Tem outros amigos meus que nos encontrarão lá.

— Se eu ficar pronta em dois minutos, posso ir com você?

— Claro. Mas não precisa levar dois minutos. — Ele sorri. — Não estou com pressa. — Como sempre.

Agradeço e voo para o banheiro, onde tomo um banho e me maquio. Abro o armário, escolho um vestido colado bonito e coloco as minhas botas de salto e cano curto. Pretendo ficar linda hoje para que eu possa me sentir bem comigo mesma.

Quando saio para a sala, vejo as sobrancelhas de Enzo subirem ligeiramente.

— *Che bella* — comenta ele.

Sorrio timidamente.

— Vamos?

Ele pega as chaves do carro e descemos.

***

No caminho, o celular de Enzo toca. Ele atende e vejo que tem dificuldades para ouvir. Quando desliga, me diz que o pessoal mudou de lugar e todos estão indo para uma boate chamada Luce. Ele faz uma nova ligação para avisar os outros amigos, e tomamos uma rota diferente para chegar ao tal local.

Estacionamos, mostramos a nossa identidade na porta, pagamos (uma pequena fortuna em euros) e conseguimos entrar.

Lá dentro é barulhento e escuro. Quando me situo, vejo que é até aconchegante, com as luzes amarelas e vermelhas, vários sofás espalhados, uma decoração bonita com lustres extravagantes e a pista de dança cheia de pessoas se sacudindo ao som do DJ, que toca um *house*.

Vou andando atrás de Enzo, que parece tentar se dirigir ao local combinado para o encontro. Olho ao redor, procurando a cabeça de Miguel, porém só vejo uma massa de estranhos.

Enzo para em frente ao bar e não vê ninguém.

— Luciano disse que eles estariam aqui — grita no meu ouvido.

Olho ao redor, apreensiva. Ele pega o celular e liga. Vejo-o andar ali perto, tentando escutar algo. Por fim, desiste e escreve uma mensagem. Quando volta para perto de mim, parece aborrecido.

— Eles foram para outro lugar!

— O quê?! Por quê?

— Não sei! Luciano me disse que eles decidiram de última hora ir a um pub!

— Miguel não vem, então? — Estou completamente perdida e igualmente aborrecida.

— Não. Ele está acompanhando os outros — grita Enzo de volta.

— Pagamos caro para entrar aqui, não quero ir para outro lugar.

Ele localiza os amigos chegando, os quais acenam no alto. São três. Enzo acena de volta.

Quando se juntam a nós, sou apresentada a todos: Marco, Bernardo e Filippo. Enzo explica a situação e eles ficam debatendo por um tempo. Então ele se aproxima de mim e pergunta:

— O que você quer fazer, Bianca? Eles querem ficar aqui. Eu posso acompanhar você até em casa ou a esse pub se você quiser.

Paro para pensar. A música aqui é boa e o ambiente também. Já paguei para entrar e o outro lugar é quase do lado oposto da cidade. Não é justo fazer Enzo me levar até lá. Sem falar que Miguel tomou decisões por si mesmo, sem me consultar, então ele que arque com a minha ausência.

— Vou ficar aqui com vocês e me divertir — decido.

— Tem certeza?

Concordo com a cabeça veementemente. Enzo enfim se convence.

— O.k. Quer um drinque?

— Sim. — E olho o cardápio, escolhendo algo com frutas e uma boa dose de álcool. Não sou de beber muito, mas cheguei à conclusão de que quero me libertar.

Enzo fica no balcão para pedir as bebidas, para mim e para ele, e eu me junto aos outros três rapazes. Descubro que são parte de uma banda com Enzo, e isso me surpreende, pois ele nunca me contou. O som deles é algo do tipo pop rock/soft rock, com versões de outros artistas e algumas composições próprias. Enzo é o guitarrista. Eles possuem mais um integrante, chamado Enrico, que está viajando.

Enzo volta com as bebidas e ficamos ali em pé, curtindo a companhia e o ambiente. Dou uma cutucada em Enzo por ele não ter me contado da banda, e ele por fim me coloca por dentro de sua atividade. Marco e Filippo vão pegar as suas bebidas e Bernardo fica conversando conosco em inglês. Quando os outros dois voltam, a conversação retorna ao italiano.

Decidimos nos dirigir à pista de dança. Antes, porém, pego meu segundo drinque. Enzo bebe muito pouco comparado aos seus amigos. Quando a música muda para remixes de hits famosos, já estou alta e empolgada, e começo a dançar. Enquanto espero no bar pela minha terceira bebida com vodca, recebo uma mensagem do Miguel, vinda do celular de outra pessoa.

***Desconhecido**: Vou dormir na casa do Luciano. Ass.: Miguel.*

Apenas assim. E eu respondo, *apenas assim*:

***Bianca**: O.k.*

Estou um pouco brava, pois sei que ele decidiu chutar o balde esta noite. Quando recebo o drinque do bartender, penso: *Quer saber? Se ele pode, eu posso*. E decido esquecer tudo.

O sabor de morango e maçã é uma delícia, e bebo com vontade. Minha cabeça está girando com todas as luzes, mas curto a sensação. Estou a caminho da pista de dança e Enzo chega para me resgatar.

— Você está bem? — pergunta ele alto em minha orelha.

Digo que sim com a cabeça e acrescento:

— Miguel não vai dormir em casa.

Enzo não diz nada, apenas me guia, com a mão em minhas costas, para onde os seus amigos estão. Sinto que ele está cuidando de mim, pois vejo olhares de vários homens me seguindo, porém nenhum se aproxima.

De volta ao grupo, danço com toda a minha energia, e os meninos parecem achar engraçado. Sei, no entanto, que não estou me movendo de forma cômica, pelo contrário, pareço sexy, a julgar pelos olhares, e isso levanta a minha autoestima.

Em certo momento noto que há uma garota encarando Enzo. Ela não tira os olhos dele e isso começa a me incomodar. É morena, alta, bastante bonita, mas com maquiagem muito carregada. Os amigos dele veem e começam a murmurar entre si. Eu me aproximo deles para saber o que está rolando.

— Qual é a dela? — pergunto em inglês.

— Enzo já foi a fim dessa garota. Era da nossa classe — responde Bernardo, achando graça. — Ela não o quis.

— Agora parece que quer — comenta Marco, cutucando o amigo.

Olho na direção dela e vejo que não avança porque está em dúvida se sou sua namorada. Chego perto de Enzo e digo em seu ouvido:

— Vamos mostrar pra ela o que perdeu? — Sorrio. Enzo fica nitidamente acanhado. Dou o resto da minha bebida a ele. — Vamos, bebe! Esquece aquela metida!

Ele entorna o líquido na garganta e começa a dançar, entendendo que estou brincando de bancar sua namorada para fazer ciúme na menina. Sou uma pessoa fraca para álcool, portanto já estou bêbada àquela altura.

Rindo, ele começa a se sacudir no ritmo da batida e danço em sua frente. Está tocando um remix de uma música latina. Estou muito perto e, ao perceber o volume de seu corpo a poucos centímetros de mim, seus olhos verde-azulados me fitando, sinto um desejo que nunca senti antes.

Quero tocar aqueles músculos, passar as minhas mãos por seu peito e ser apertada por seus braços fortes. Quero que ele me toque, escorregue as mãos por minha cintura e aperte o meu bumbum. Quero passar as minhas mãos por seu cabelo macio e arrepiá-lo ainda mais. Quero sentir os seus lábios...

O meu coração acelera muito e sei que estou errada, completamente errada. *O que estou fazendo?* Bianca estúpida! Continuo dançando, a música me leva, a batida me faz tremer e Enzo também não liga. Ele está maravilhoso, simplesmente divino naquela roupa, e ainda consigo sentir o seu perfume. Danço até o chão e coloco as minhas mãos em seus ombros. Olho para trás discretamente e não vejo mais a menina. Não me importo. Continuo ali. Estou bêbada, louca e completamente imersa na melhor noite de todas em muito tempo.

Começo a dar pulos na parte mais agitada da música seguinte, levando Enzo a fazer o mesmo. Ele parece estar se divertindo, contudo ainda consigo ver um traço de preocupação em seu rosto. Ele não está bêbado o suficiente.

Inclino a cabeça para trás e começo a rir, ainda apoiada em seus ombros. Quero transferir as minhas mãos para o seu pescoço, mas uma pequena parte sóbria de mim me diz que seria errado. Pego as mãos dele e agito-as no ar, tentando fazê-lo se soltar ainda mais. Não vejo os amigos dele por perto, talvez tenham saído para nos dar privacidade. Não preciso de privacidade com Enzo. O que eles estão pensando?

A música muda e Enzo para de dançar. Ele chega perto do meu ouvido e me arrepio inteira.

— Acho que devemos ir embora...

— Tá brincando?! — exclamo, na maior energia. — Estou me divertindo muito! Não quero ir embora! — E continuo pulando sozinha.

Enzo segura o meu ombro e se inclina de novo. A música está muito alta, mal posso ouvi-lo. Então lhe digo algo:

— Quero mais um drinque *Mela Meraviglia*!

— Bianca, acho que você já bebeu demais.

Mas não lhe dou ouvidos. Pego-o pela mão e vou até o bar. Peço duas doses de tequila desta vez. Sempre quis experimentar.

Quando o bartender as entrega a mim, passo uma a Enzo.

— Bianca...

— *Andiamo!* Bebe isso logo!

Sem alternativa, ele o faz. Seu rosto forma uma careta, e o meu também quando provo aquela coisa amarga. Assim que entorno tudo, bato o copo no balcão e solto um "uhuuuu!" com as mãos para o alto. Alguns caras ao redor brindam comigo. Enzo me pega pela mão de novo e me arrasta para um dos sofás. Acho que ele pensa que preciso descansar.

Sento pesadamente e toco em meu pé. As botas são confortáveis, mas já estão começando a fazer calos. Enzo só fica sentado ao meu lado, olhando ao redor.

— Por que você está tão pensativo? — pergunto. Não vejo razão para não estarmos gritando e pulando.

— Não acho que Miguel vai gostar de te ver assim. Eu deveria cuidar de você...

— Ele não vai me *ver*, Enzo — aponto. — Miguel não vai dormir em casa, está em sua própria festa, caindo de bêbado, tenho certeza. Por que não posso fazer o mesmo?

Ele não responde a isso, continua olhando para mim e em torno, provavelmente tentando localizar seus amigos.

— Vem, vamos dançar! — Levanto e pego-o pela mão de novo. Enzo fica sentado.

— Não posso dançar com você.

— Por que não? — questiono com total descrença.

— Você está bêbada.

— E...? Melhor dançar com você do que com outros caras, não acha?

Enzo pondera por alguns segundos e me deixa arrastá-lo. Voltamos à pista e me balanço, inicialmente de forma suave, uma vez que a música agora está num ritmo mais lento. Quando o refrão chega, toda a boate se sacode com intensidade. Danço ao redor de Enzo e meio que perco a consciência do que estou fazendo. Talvez eu *tenha* segurado seu pescoço ou rebolado de costas para ele... É difícil saber.

Reparo em seus olhos que me olham com certa tentação. Ele observa as minhas curvas e se demora em meu rosto. Estou quase bêbada demais para beijá-lo, mas não o faço. Fico engolindo a saliva com um nó na garganta.

Ao fazer um passo atrapalhado, tropeço em meu salto e ele me segura. Enzo percebe que estou cansada demais e devo ir para casa. Roubo o drinque de Bernardo quando o vejo passar. Enzo o tira da minha mão e o joga no lixo antes de eu acabar, ao que reclamo.

Nós quatro saímos da boate, eu quase carregada. Os rapazes se despedem de nós e entro no banco da frente do carro de Enzo. A rua está silenciosa e sinto um cansaço súbito. Fecho os olhos lentamente, talvez murmurando alguma coisa, e me entrego ao sono.

* * *

Acordo e percebo que estou nos braços de Enzo. Tudo parece um sonho, e minha cabeça ameaça explodir. Ele está me carregando para dentro de casa e me coloca no sofá. Sinto pena por ele ter tido de carregar o meu peso escada acima.

Pisco lentamente para o seu rosto, acima do meu, avaliando os meus danos.

— Como se sente? — pergunta ele.

Dou de ombros e sinto que estou toda dolorida.

— Meu estômago está estranho.

— Vou deixar um balde aqui para você. — Ele traz o objeto e o coloca ao lado do sofá. Mas é claro que vou ter tempo de correr ao banheiro se precisar. Sinto-me constrangida só de pensar em Enzo me ver vomitando. — Você prefere que eu te leve ao seu quarto?

— Posso caminhar — digo, minha voz soando horrível. — Mas quero ficar aqui na sala.

— Tudo bem. Vou te trazer as cobertas. — Ele entra no meu quarto, pega as roupas de cama, põe o lençol e a coberta sobre o meu corpo e o travesseiro atrás do meu pescoço.

— Minhas botas... — Balanço os pés.

Ele cuidadosamente as tira deixando-as no chão. Então se agacha ao meu lado, olhando para meu rosto. Um anjo. Sorrio da maneira que posso.

— Obrigada. — Seus olhos claros brilham e sua pele branca está meio avermelhada. Sem pensar, toco seu rosto. — Você é muito bom para mim. — *Mais do que Miguel*, é o que não digo.

Enzo pisca devagar e se inclina para beijar a minha testa. Sinto arrepios em toda parte. Reprimo o impulso de segurar sua nuca e puxá-lo em direção à minha boca.

— Durma bem, Bianca. E, se precisar de qualquer coisa, me chama. Vou deixar a porta aberta.

— O.k.

Meus olhos se fecham de novo quase que imediatamente, incapazes de continuar abertos. Sonho com Enzo e o beijo que não demos.

7

PLAYLIST:
Clocks – Coldplay
Can't Stop – OneRepublic

Acordo no meio da noite para vomitar. Não fecho a porta completamente e quando termino ouço uma batida nela. Enzo está de pé, olhando-me pela fresta.

— Tudo bem, Bianca?

Estou agachada em frente ao vaso, respirando rápido. Os meus olhos estão banhados de lágrimas e em minha boca sinto um gosto horrível. Sinto-me deplorável. Ele entra, vendo o meu estado, e me ajuda a levantar. Vou até a pia e lavo o rosto e a boca. *Ugh*. Escovo os dentes com bastante pasta de menta.

— Melhor agora? — pergunta ele, depois que inspiro devagar e me olho no espelho. Estou pálida, maquiagem borrada e meus cabelos se assemelham a um ninho de passarinho. Mais diva, impossível. — Vem, senta aqui. — Ele me guia até a sala. Acomodo-me no sofá e Enzo entra na cozinha para pegar um copo de água para mim.

Enquanto bebo, ele fica sentado ao meu lado me observando. Olho-o de volta.

— Me desculpa. Não costumo ser tão patética assim.

— Tudo bem, Bianca, você não é patética. Todo mundo passa por isso em algum momento na vida.

— Estou meio velha demais para isso.

— Nunca se é velho demais para se divertir — diz ele de forma suave. Sorrio gentilmente. Sinto-me constrangida por um segundo só de me lembrar do que fiz na boate, de como praticamente o ataquei durante a minha dança e do desejo genuíno que senti. Espero que ele pense que não me lembro de nada, portanto nem toco no assunto. Minha bebedeira servirá como desculpa para tudo.

Ai, os amigos... lembro com amargura. O que será que pensam de mim depois de terem visto a minha descompostura, sabendo que sou namorada do melhor amigo dele?

Olho para o relógio que brilha no escuro e vejo que ele marca dez para as seis da manhã. O dia está quase nascendo lá fora, posso ver a claridade sutil infiltrando-se pelas janelas.

— Acho que devo voltar a dormir — digo, bocejando. Enzo concorda e dá espaço para eu me deitar. Ele anda alguns passos e fecha a cortina.

— Não quer mesmo ir para a sua cama?

Sei que é muito mais confortável lá, no entanto prefiro ficar onde ele possa me fazer companhia mais facilmente. Talvez eu tenha de vomitar mais e sei que chamá-lo do meu quarto seria um pouco mais complicado.

— Boa noite, Bianca. Descanse e não se preocupe com a hora de acordar. É domingo.

— Você não vai sair cedo?

— Não. Também preciso descansar. — Ele dá uma espremida amigável em meu braço e entra de volta em seu quarto, sem fechar a porta, como havia prometido.

Observo-o caminhar até perdê-lo de vista, só de camiseta branca e cueca, e sinto mais borboletas no estômago. Desta vez, porém, não é nada relacionado ao álcool.

* * *

Tenho uma ressaca horrível pelo resto do dia. Miguel chega às três da tarde, parecendo igualmente acabado, eu ainda estou esticada no sofá. Ele me dá um beijo e me pergunta o que houve. Digo que bebi demais. Miguel faz uma cara estranha, mas não reclama, principalmente depois de Enzo dizer que cuidou de mim.

Ele confia completamente em Enzo, então fica tranquilo e nem toca mais no assunto. Também não pergunto como foi a noite dele.

Se ele não pode saber os detalhes da minha, ele tem direito de guardar a sua para si mesmo.

Ficamos preguiçosos, os três, em seus próprios mundinhos pelo resto do dia. Devo me sentir melhor mais à noite. Como Enzo não bebeu tanto, está bem, e é legal ao ponto de preparar comida para nós e deixar a garrafa de água ao meu lado na mesa de centro.

Fico torcendo para que, depois do que aconteceu na boate, não surja um clima estranho entre a gente. Isso seria a pior coisa.

Quando Mari me manda uma mensagem no fim da tarde perguntando como foi minha primeira balada na Itália, omito completamente que provoquei Enzo. Não digo a ela que depois disso não paro de pensar nele e que, mesmo com o álcool já praticamente fora do meu organismo, continuo a fantasiar coisas totalmente proibidas.

O dia seguinte é segunda-feira, e quando acordo Miguel já se mandou para a loja. Vou para a sala ao ouvir um som de violão e paro na entrada para escutar sem interromper. É uma canção que conheço.

— Essa música é linda — digo após meio minuto, caminhando para o sofá, onde Enzo está sentado dedilhando as cordas. — Você sabe cantá-la também?

— Sim... mas não lembro de todas as partes.

— É uma das minhas músicas preferidas.

Ele sorri.

— Canta comigo, então.

Ele começa, e aprecio a sua voz suave e limpa. Tento ajudá-lo, cantando baixinho, mas ele interrompe numa parte, provavelmente sem saber o resto, e aumento o meu volume. Enzo sorri, estimulando, e sinto cada vez menos timidez. Canto, mesmo sabendo que não tenho a voz de uma cantora, mas não acho que soe tão ruim. Quando acabamos, ele me elogia:

— Muito bom, Bianca. Você sabe tocar também?

— Eu tive aulas anos atrás, sei bem pouco. Ainda tenho um violão em casa, mas não pratico mais.

— Por que não? Deveria continuar.

Meio que ignoro o comentário, sabendo que ele tem razão.

— Você toca guitarra também, né?

— Sim. E piano. Estou querendo comprar um elétrico.

Olho para o violão, sem querer interromper a sessão musical que adoro, e peço:

— Você sabe aquela do U2? — E canto um trechinho.

Enzo tenta, e, ao falhar em algumas notas, eu procuro as cifras na internet. Depois de fazer o mesmo com mais algumas músicas, ele para.

— Vou ao hospital daqui a pouco — diz ele ao apoiar o violão no chão. — Quer vir?

— Sim — digo com espontaneidade. — Não tenho aula hoje.

— Legal. — Ele parece feliz com a minha resposta.

— Antes, porém, quero que toque para mim alguma canção inédita da sua banda.

Ele olha para baixo, envergonhado.

— Não... eu não sou o vocalista. Não é o mesmo.

— Ah, vai. Tenho certeza de que é bom.

— O.k., *va bene* — cede ele.

Enzo pega de novo o violão e se prepara. Já nas primeiras notas, sei que vou gostar.

A letra da música que toma o ambiente é em inglês, simplesmente linda e única. A voz de Enzo a torna ainda mais perfeita, e me pergunto se na versão do vocalista real da banda poderia ser melhor que a versão de Enzo. Duvido.

Quando ele termina, quase com lágrimas nos olhos, estou toda arrepiada.

— Uau. — É só o que digo.

— Você gosta?

— Tá brincando? As pessoas precisam conhecer isso!

Enzo ri, sem graça.

— Não é tão fácil...

— Onde vocês se apresentam?

— Já tem um tempo que não tocamos em lugar nenhum, temos tocado só em casa por diversão. E, quando aparece alguma competição ou algo assim, nos inscrevemos.

— Enzo, vocês têm de trabalhar por essa banda. É sério, pode dar futuro.

Ele ri.

— Não se preocupa, Bianca, não é o nosso objetivo de vida.

Eu compreendo. É um hobby que pode ser melhor se deixado secreto. Assim como a minha paixão por cozinhar e por treinar maquiagem. Às vezes me tranco no banheiro por horas, testando combinações em meu rosto para depois simplesmente remover tudo.

Saímos de casa para o hospital uma hora depois. Ainda tenho a música dele na cabeça. Ela me tocou definitivamente.

Chegando à recepção do hospital, todos o recebem com alegria. Enzo é figura conhecida por lá. Ele me apresenta como a nova voluntária por um dia (não quer me fazer pressão para continuar indo, só no caso de eu gostar) e as enfermeiras me cumprimentam externando gratidão.

Subimos algumas escadas e corredores e chegamos à ala infantil. As paredes brancas são decoradas com personagens e desenhos fofos, representando uma felicidade que praticamente não existe. Entramos para dar "oi" a todos os pequenos nas camas, a maioria com catéteres de soro penetrando suas veias, e imediatamente me sinto muito triste.

Enzo toma o seu tempo com cada um deles e fico ao seu lado, sorrindo. Ele diz meu nome a todas as crianças, uma por vez, e aperto as suas mãozinhas tentando aparentar alto-astral. Enzo é bom em fazê-las sorrir, posso ver, embora eu não entenda tudo o que ele fala. Acho que ele tem algumas piadas prontas ou simplesmente vê algo especial nas pequenas coisas.

Ele reconhece praticamente todos, mas sente falta de alguns, e isso pode ser uma notícia boa ou ruim, interpreto pelo rosto de Chiara, a enfermeira que nos acompanha.

Quando Enzo vê que Fabrizio, um garotinho por quem ele era muito apegado, não está lá e a enfermeira lhe diz o que aconteceu, o sorriso dele desaba. Enzo fica em choque, arrasado. Para não aparentar às crianças, ele sai da sala e eu o acompanho. Fico na porta enquanto ele extravasa sua tristeza. Ele para recostado em uma parede e eu me aproximo. Ponho uma mão em seu ombro.

— Ele era especial? — pergunto com gentileza, bem baixinho, sentindo um nó na garganta. Nunca é bom saber que uma criança inocente foi vítima de uma doença tão cruel.

Enzo assente com a cabeça e puxo-o para um abraço, que ele aceita agradecido.

Fungando e piscando os olhos rapidamente para afastar a tristeza, ele põe a mão em minhas costas para que possamos voltar à sala.

— Essa é a parte negativa desse trabalho. Se quiser continuar, é preciso ter isso em mente.

Concordo, reflexiva, mas certa de que preciso continuar indo, mesmo quando Enzo não for.

Os meninos e as meninas são muito simpáticos e carentes. Conheço Giuliano, Cecilia, Bruno, Angelo e Dora. Quando nos dirigimos a uma área anexa, fico surpresa em ver que há ali uma brinquedoteca que, segundo Enzo, foi construída graças à ajuda financeira de seus pais.

Há algumas crianças sentadas lá, em cadeiras de rodas ou nos tapetes emborrachados, brincando e lendo livrinhos. As enfermeiras sorriem para nós e dão um boa-tarde. Vou ajudar uma delas a dar comida a um menino de quatro anos que tem a cabeça raspada e Enzo se dirige ao piano que há ali — presente do pai dele, anuncia a mim com orgulho.

Fico alimentando as crianças e brincando com elas enquanto Enzo toca uma seleção das mais belas canções em suas habilidosas mãos ao piano. O som que enche o ambiente é inspirador e sei que outras salas podem ouvi-lo também.

Olho para ele, uma boneca pendendo da minha mão, e pareço hipnotizada. Enzo vira o pescoço para trás e me dá um sorriso. Meu coração derrete.

Um menininho bem pequeno corre para o piano e para junto dele, tão fascinado quanto eu. Enzo o pega no colo e continua tocando com ele, que observa atentamente cada tecla tocada.

Olhando para Enzo ali, quase chego à conclusão de que estou apaixonada.

Isso me apavora.

Largo a boneca no chão e saio da sala. Tapando a minha boca com as mãos, quase do mesmo jeito que Enzo fez quando soube notícias do pequeno Fabrizio, fico com as costas na parede, pensando no que está acontecendo. Consigo ouvir a música que ele está tocando e sinto o meu corpo todo arrepiar. É um instrumental do Coldplay, minha banda favorita. Lembro-me de que ele tocou hoje em seu violão e fico me perguntando se ele se recorda de que eu disse que aquela música, da mesma banda, era uma de minhas preferidas.

Pego meu celular e olho para a tela. Percebo que não tenho ninguém com quem conversar. Não posso falar sobre nada disso com Mari. De maneira alguma posso contar a Miguel, muito menos a Enzo, que se tornou meu novo melhor amigo. Não tenho nenhuma amiga aqui.

Encosto a cabeça na parede fria. O que eu vou fazer? Preciso de conselhos, preciso desabafar...

Percebo que a música parou. Olho para trás e vejo Enzo colocando a cabeça para fora da sala.

— Bianca? Tudo bem?

Viro-me para ele, tentando esconder o meu rosto abalado.

— Sim.

Ele se aproxima e põe uma mão no meu ombro, quase da mesma forma que fiz para confortá-lo meia hora atrás.

— É duro, não é? Você não precisa vir de novo — diz ele, pensando que estou assim por pena das crianças. Balanço a cabeça.

— Não. Virei outras vezes. É bom para mim, e para eles, claro.

Enzo dá umas batidinhas em meu ombro.

— Quer ir embora agora?

Digo que sim e nós voltamos para nos despedirmos das crianças e das enfermeiras. Ao nos encaminharmos para o carro, falo para Enzo que quero ir andando, talvez parar em algum lugar para dar uma volta. Não vou aguentar ir para casa. Preciso esvaziar a minha mente, pensar em outras coisas, e possivelmente um passeio turístico me faça bem.

Ele se oferece para me levar ao Museu do Vaticano, já que acabamos não conseguindo ir no meu primeiro dia completo em Roma, devido à fila grande demais. Estou quase recusando, pois acho que preciso de um tempo longe dele, mas a ideia é tão atrativa que aceito. Quem sabe posso ir avaliando melhor os meus sentimentos também. Convido Miguel, mas, para variar, ele está muito ocupado.

Temos uma tarde realmente agradável, observando uma porção de coisas antigas e intrigantes. Começamos pela ala egípcia, onde podemos ver de perto pedras nas quais hieróglifos foram gravados, esculturas de faraós, estátuas de formas humanas com cabeças de felinos, sarcófagos ultradecorados e até mesmo uma múmia de verdade, que me apavora, deitada dentro daquela caixa de vidro, desconhecendo completamente que centenas de pessoas passam ali todos os dias para apreciar o "charme" de sua presença ressecada.

— Coitada dessa pessoa, achando que ia voltar linda e maravilhosa para a vida eterna, enquanto, na realidade, ganhou um destino cretino, milhares de anos depois, num museu cheio de gente apontando câmeras para a sua cara mumificada — comento com desolação. Enzo dá uma risadinha.

— Engraçado pensar que os artistas desconhecidos que passavam dia e noite pintando esses caixões sejam hoje vistos com mais admiração do que os nobres que os ocupavam.

— Bom, suas obras, você quer dizer. Entendo. Ambos permanecem, mas garanto que prefiro olhar para o caixão do que para a múmia — pondero. Enzo sorri, e continuamos avançando para outras áreas.

Passamos pela ala greco-romana, com estátuas de deuses e representações de cenas mitológicas, algumas, inclusive, que reconheço de algum livro ou aula de história da arte, e tudo ali é digno de um estudo atento, incluindo teto, chão e paredes. Conforme andamos, vemos mais e mais arte e as obras se tornam também mais atuais.

Seguimos para as outras seções, onde observamos mapas antigos, tapeçarias e outros tipos de coisas interessantes. Tentando relaxar, olho para o belo rosto de Enzo, no qual transparece uma certa alegria e despreocupação, e me entretenho com os seus relatos sobre história. Enzo é muito inteligente e tem grande interesse pela antiguidade. O que ele me conta é muito detalhado, repleto de curiosidades e datas precisas.

— Você deveria ser guia turístico — digo, em tom de brincadeira, e ele faz piada fingindo que é um daqueles de sotaque britânico que orientam os grandes grupos dentro dos salões. Gosto de ver esse lado dele, de perceber quanto é mais relaxado, espontâneo e engraçado agora. Sua timidez praticamente não existe mais comigo.

— Se você gosta da história da Itália, precisa ir a Veneza — diz ele, após um tempo, enquanto volto o olhar para cima para contemplar os adornos do teto. — É um lugar lindo, fora do comum. Você deveria pedir ao Miguel para te levar lá.

— Miguel é ocupado demais para isso... — E garanto que ele percebe uma pitada de rancor em minha resposta.

— Ah, tenho certeza de que ele vai tirar uma folga uma hora ou outra. Os sócios podem cuidar das coisas lá.

— É, eu sei, o difícil é dizer isso a ele...

— Eu queria levar você e o Miguel para que vocês conheçam a minha verdadeira casa, lá na Calábria. Meus pais ficariam felizes de recebê-los.

— Isso é muito gentil. Eu adoraria, mas, mais uma vez, o Miguel...

— Bom, e se você for sozinha? — Viro-me para ele para ter certeza de que está falando sério. — Quero dizer, se ele não tem tempo e você tem, é meio injusto que você não possa viajar, certo?

Penso a respeito. Ele está coberto de razão. Mas, é claro, fico indecisa, porque não sei mais se posso confiar em mim mesma.

— Vou conversar com ele — decido. Se Miguel achar que não tem problema, não colocarei empecilhos para ir.

— Legal.

Ele sorri e me dou conta de que toda vez que vejo aquele sorriso alguma coisa anormal acontece dentro de mim.

Nos salões de pintores renascentistas, sou relembrada de seus estilos, e há uma pintura de Rafaello na parede, um afresco bem famoso, que me faz ter vontade de voltar ao ensino médio só para comentá-la com a minha professora de artes.

O caminho sempre aponta para a Capela Sistina, portanto fico curiosa a cada nova etapa avançada até ela. Depois de ignorar a maior parte da área de arte contemporânea, afinal, isso se vê em todo lugar, enfim a alcançamos. Estamos em busca da obra mais famosa dali. Enzo aponta e volto os olhos para cima. Contemplando "A Criação de Adão", de Michelangelo, um pequeno pedaço do teto para o qual todas as pessoas podem *apenas* observar (não é permitido tirar fotos), penso em como as coisas em meu relacionamento chegaram àquele ponto. Quero dizer, o ponto crítico em que minha mente evitou pensar ao se ocupar com a arte do Museu do Vaticano.

Talvez seja culpa minha, talvez de Miguel. Ambos, de certo modo, falhamos, mas, ao mesmo tempo, considero não ficar me culpando, pois mesmo quando eu estava bem com ele achei Enzo bonito. Isso não seria um problema, imagino, se eu só o visse de vez em quando e as situações "criadoras de clima" não fossem tão frequentes, tendo nós dois tanto tempo disponível sozinhos.

Faço uma perspectiva de que, quando as aulas dele começarem, eu arrumar um novo emprego e Mari chegar, as coisas ficarão melhores. Tenho certeza de que, quando tiver um tempo com Miguel, também vou tirar a minha cabeça de onde está agora.

Depois de muito observar a capela, continuamos seguindo o caminho indicado, e como não há mais muito que ver, exceto a parte Cristiana e algumas artes decorativas dos séculos VII ao XX, rumamos para a saída, onde sou surpreendida pela bela escada em caracol que precisamos descer. É uma das escadarias mais legais que já vi, e, bancando a criança feliz, desço depressa, quase correndo, ignorando os olhares carrancudos de senhoras ranzinzas. Enzo imita, e ao chegarmos lá embaixo o guarda nos repreende em italiano, dizendo para olhar o aviso de cuidado, onde há o desenho de um bonequinho caindo, ao que Enzo apenas responde:

— Não se preocupe, estamos bem. — E saímos depressa, rindo como dois pré-adolescentes na hora do recreio.

* * *

À noite, quando volto para casa, Miguel já está presente, reclamando que está cansado e não tem nada para comer. Pergunto a ele por que não foi ao mercado, e ele me questiona onde estive o dia todo. Falo que fui fazer um trabalho voluntário e aproveitei para visitar o Museu do Vaticano, e que não tenho obrigação de cozinhar todos os dias. De qualquer modo, como de costume ele ignora a minha comida. Começamos uma discussão.

Acuso-o de nunca me deixar ajudar na loja, e que foi para isso, em primeiro lugar, que me pediu para vir à Itália. Ele nega, argumentando que *fazer companhia a ele* era o ponto principal.

— Então minha mãe tinha razão. Sou nova demais para bancar a sua esposa — respondo, irritada. — E sou velha demais para perder meu tempo sem fazer nada. Estou aqui para me divertir e descobrir o que quero fazer da vida. Vou trabalhar, e se não for para você vai ser para outra pessoa.

Miguel mexe na geladeira à procura de algo. Tira o queijo cremoso e tenta improvisar um sanduíche, os vincos em sua testa ainda intensos.

— Você faz o que quiser, Bia, você não é minha escrava. Só estou comentando uma situação.

Cruzo os braços.

— E que tal *eu* comentar uma situação? Que tal falar que não tivemos quase nenhum tempo juntos por mais de duas semanas? Você está sempre fora ou cansado... ou indo a baladas sem me convidar.

— *Sem te convidar?*

E discutimos mais agressivamente sobre aquele dia, ele alegando que usou Enzo como mensageiro e que eu deveria ter ido aonde foi indicado. Fico tão revoltada que nem consigo responder, apenas o ignoro quando sigo para o banheiro para tomar um bom banho e tentar relaxar.

Fico embaraçada por Enzo estar no quarto dele, provavelmente escutando tudo, devido ao volume de nossas vozes alteradas.

Quando saio do banho, Miguel parece mais tranquilo e me abraça, pedindo para não brigarmos mais. Ele dá um beijo rápido em minha testa e um mais demorado na boca, mas ainda estamos tão estranhos por causa da discussão que o beijo não tem o efeito que normalmente deveria ter.

Miguel vai para a cama e eu me deito pouco depois. Escrevo para os meus pais, sempre dizendo que tudo está às mil maravilhas, e percebo que estou lidando com Mari do mesmo jeito. Miguel se vira e fecha os olhos, e eu vou para a cozinha tomar um copo de água. Encontro Enzo lá, encostado na pia, no escuro.

— Oi — cumprimento sem emoção.

— Tudo bem? — pergunta ele. Fico pensando se a gritaria o assustou. Dou de ombros.

— Tenho certeza de que estará o.k. pela manhã.

— Com "o.k." você quer dizer "do mesmo jeito que ontem"? Mostro-lhe uma expressão suave e sei que ele quer dizer que amanhã não estaremos mais felizes, somente como antes de discutirmos. Pelo que conheço de Miguel, aposto nisso.

— Não se preocupe. Miguel é uma pessoa difícil, mas tem um coração enorme.

Sei disso, e por essa razão me dói tanto pensar que chegamos a esse ponto. Pode ser apenas uma discussão boba, mas isso nunca aconteceu antes, e o que venho sentindo pelo amigo dele também não é nada legal.

— Boa noite, Enzo.

— *Buonanotte*, Bianca. Bons sonhos. E saiba que estou aqui se precisar. — Ele sorri complacente, ao que retribuo. É quase como nosso ritual particular. Se ele sorri, eu sorrio de volta.

8

PLAYLIST:
Waves – Mr. Probz (Robin Schulz Remix)
Bleeding Out – Imagine Dragons

Agosto se vai e setembro chega, um pouco menos quente, mas agradável. Já conheço praticamente cada canto do centro de Roma e três vezes por semana vou a um parque andar de bicicleta pela manhã. Às vezes, quando pode, Miguel vai junto, Enzo também, ou, na maioria das vezes, nenhum dos dois, o que me faz ter o passeio como um momento de reflexão e contato real com a natureza. Também me matriculei na academia dos meninos, reforçando a minha decisão por um estilo de vida mais saudável.

Parte dessa decisão é cuidar de minha saúde emocional. Estou tentando passar mais tempo de qualidade com o Miguel e enxergar Enzo como meu irmão. Por algum tempo funciona muito bem, porém, sempre que os reprimidos sentimentos pelo meu colega de apartamento começam a reaparecer, eu medito e saio à procura de uma distração.

Nesse tempo, consegui um trabalho de babá e o perdi na segunda semana, por me descuidar por um segundo e não conseguir impedir o filho da Sra. Bertoni de engolir uma pecinha de brinquedo. Ela o levou ao hospital e ficou tudo bem, mas eu não fui perdoada.

Continuo indo às aulas de italiano e ao hospital como voluntária, mesmo quando Enzo não está junto. Fiz amizade com as enfermeiras e finalmente consegui sair para tomar um café com a francesa da minha classe, Catherine. Ela fez planos para nos vermos de novo e aguardo ansiosa. Ela é uma garota muito legal pelo que pude conhecê-la até aqui, a nossa personalidade combina.

Meu italiano também está incrivelmente melhor. Não preciso mais pedir a todo mundo que fale em inglês comigo, posso fazer um esforço e manter a conversa na língua deles mesmo, com alguns deslizes na pronúncia. É fantástico!

Depois do trabalho de babá, consigo um bico como passeadora de cães e como substituta numa loja de animais. Não é o melhor dos trabalhos, principalmente porque os cães parecem adorar fazer xixi em mim, então saio antes mesmo de completar oito dias. Percebo que sou um desastre para manter um emprego.

Enzo e Miguel continuam me estimulando a procurar outras oportunidades, principalmente Enzo (Miguel parece me querer em casa como uma madame rica mais do que qualquer coisa), e eu folheio os jornais locais todos os dias à procura de algo interessante.

Faltando alguns dias para Mari chegar, dou uma relaxada na busca, e, tão logo chega a data de cinco de setembro, estou tremendamente ansiosa para vê-la. Enzo se dispõe a dirigir comigo até o aeroporto para que possamos buscá-la. Penso na surpresa agradável que ela vai ter ao vê-lo e sinto um peso no estômago. Por que é que eu estimulei tudo isso?

Nos dias anteriores à partida dela, Mari praticamente não conseguia falar em outra coisa a não ser sobre Enzo. Ficava me perguntando TUDO — do que ele gosta, de que tipo de cabelo, maquiagem, música, marcas... Era um inferno.

E agora eu me pergunto como ela vai agir pessoalmente. Espero que não pareça uma louca desesperada. E mesmo eu dizendo que é impossível eles combinarem em tudo, como o fato de Enzo gostar de videogame e Mari não saber nem o que *Death of Angels* é; ele tocar um monte de instrumentos e Mari nunca ter aprendido nada minimamente relacionado a música; e Enzo ser nerd e Mari ser tão nerd quanto a Gisele Bündchen... Bem, eu podia seguir a noite toda citando outros quesitos.

Agora já até acho que eles não têm quase nada em comum, só o fato de serem pessoas legais que eu adoro e admiro. Fui burra de querer bancar o cupido baseando-me apenas nisso.

Eu e Enzo estamos parados na saída do desembarque quando vemos Mari chegar arrastando a sua malinha rosa. Abro um sorriso, percebendo que estou morrendo de saudade, e ela corre até mim para um abraço.

Assim que ela me solta, olha para o lado, dando a sua primeira analisada em Enzo. Vejo os olhinhos puxados dela brilharem e seu sorriso branco se esticar ao máximo. Fico observando a expressão de Enzo, em busca de quaisquer sinais. Não consigo ver nada especial, apenas que ele está sendo tímido, como normalmente é com estranhos.

Eles se cumprimentam com um abraço breve e ele se oferece para carregar a mala dela. Mari volta para o meu lado e começa a tagarelar sobre a sua viagem. Não presto muita atenção, tudo o que penso é que gostaria de ter um superpoder de ler mentes para descobrir o que Enzo está pensando, se a achou bonita (ah, é claro, quem não acharia?) e o que pensa de ter uma convidada a mais em casa. Ela lhe agradece infinitamente por deixá-la ficar lá comigo, e Enzo, em sua tranquilidade característica, fica todo: "Sem problemas".

Chegamos ao apartamento e lá está Miguel. Eles se abraçam e decidimos sair todos juntos para comer e fazer um passeio.

Mari é uma pessoa muito sociável, fala bastante e tem uma grande capacidade de cativar as pessoas. Logo ela consegue arrancar Enzo de seu mundo silencioso e o coloca para falar sobre as mais variadas coisas.

Temos um fim de tarde agradável, nós quatro, e sinto por um instante que as coisas aos poucos estão voltando ao lugar. Eu e Miguel parecemos o casal que já fomos, Mari tem um parceiro bacana para acompanhá-la, e quase acredito que os dois podem dar mesmo certo.

À noite, na hora de dormir, colocamos um colchão extra para Mari na sala com cobertas e um travesseiro, empresto-lhe uma de minhas toalhas e nós duas ficamos ali assistindo à TV até Enzo sair do banheiro. Quando ele termina, está vestindo calças esportivas e sem camisa. Prontamente Mari levanta as sobrancelhas de forma discreta para mim. Imagino o que ela não pensaria se testemunhasse o que vi na minha primeira semana aqui. Enzo, apenas de cueca na sala, aparentemente nem ligando que havia uma garota no recinto. Percebo agora que, com Mari ali, ele está sendo mais cuidadoso, e também provavelmente porque deve ter um pouco de medo depois do que aconteceu na boate aquela noite...

Enzo vem até a sala nos desejar uma boa-noite e entra em seu quarto. Quando ele fecha a porta, Mari olha para mim de olhos arregalados e suspira "u-a-u". Dou uma risadinha, mas não acho tanta graça. Estou me esforçando para levar a história toda numa boa.

***

Nos dias que Mari passa conosco me divirto muito, principalmente quando saímos só nós duas. Mostro a ela tudo o que conheço da cidade e, ao fazer isso, sinto-me uma local. Mari declara orgulhosa que finalmente virei uma italiana de verdade. Ela se impressiona com o meu conhecimento do idioma, principalmente porque não consegue dizer nem "obrigada" na língua.

Quando vou ao curso, ela fica em casa, e eu só fico imaginando o que faz na companhia de Enzo quando ele está lá. As aulas dele ainda não começaram, só daqui a uma semana, e ele tenta aproveitar ao máximo seus últimos dias de férias. Às vezes sai com seus amigos, às vezes simplesmente aceita passar o dia conosco.

Na quarta-feira, quando eu retorno, ela me diz que eles assistiram a um filme na TV, e no dia anterior conversaram por uma hora até ele ter de sair para ir ao banco. Quando chego, normalmente convido os dois para um programa. Miguel nunca pode nos dias de semana, então saímos apenas nós três.

Visitamos museus, parques, praças e sentamos em cafés e restaurantes. Tento me sentir como se não estivesse segurando vela, mas tenho a sensação de que só Mari acha isso, quer dizer, que tem alguma coisa rolando. Para mim ele está agindo completamente normal, como agiria com qualquer amigo de um amigo.

Quando vejo alguma tentativa mais forçada da parte dela, sinto um pouco de vergonha. E também sinto ciúme quando ele ri do que ela fala. Começo a agourar tanto o casal que me sinto mal por tamanha energia negativa de minha parte, especialmente tendo sido eu a pessoa a dar início a tudo aquilo. Se eu pudesse voltar no tempo...

Miguel me surpreende na sexta, convidando-me para sairmos a sós. Ele provavelmente acha que é uma boa ideia fazer uma contribuição ao casal que "estou tentando juntar", e não vejo alternativa a não ser concordar. Mari então convida Enzo para um café e ele aceita.

Durante todo o tempo que estou com Miguel comendo uma pizza na Piazza Navona, minha mente está em Mari e Enzo. Até tento me distrair e prestar atenção no que Miguel me fala, mas é difícil. Xingo-me de tudo o que é nome por aceitar que o que estou sentindo não é preocupação por nenhum dos dois, mas, sim, pura e simplesmente ciúme. *Ciúme. Ciúme. Ciúme. Aaaahhhh.*

Não consigo mais aguentar. Não quero os dois juntos! Amo a minha melhor amiga, mas não posso suportar a ideia de que ela o tenha, sendo que eu sou a pessoa com quem ele vem compartilhando praticamente tudo nos últimos meses. Sei que não posso tê-lo. EU SEI QUE É ERRADO. Mas não posso, simplesmente não posso. Estou explodindo!

Miguel me nota espremendo a cabeça. Digo que estou com uma dor horrível nas têmporas e quero ir para casa. Ele está com o carro, porém falo que quero ir andando, pois preciso passar na farmácia. Ele parece confuso, mas me deixa ir.

Caminho, caminho e caminho. Mal sei para onde estou indo, só sei que não quero voltar ao apartamento tão cedo. Considero deixar a Itália e voltar para a minha casa no Brasil, antes que as coisas fiquem piores, mas não posso. Não *quero* deixar a Itália. Fugir é sempre uma alternativa covarde.

Enquanto passo em uma rua a qual recordo percorrer com frequência, noto uma igreja bem bonita cujo nome não me vem à cabeça. Decido entrar, em busca talvez de algum tipo de paz interior.

Nunca fui religiosa. Minha família se diz católica, porém ninguém é muito devoto. Normalmente só vamos à missa no Natal e em funerais. Sempre, no entanto, experimento uma tranquilidade interessante dentro de igrejas, especialmente nas de Roma que visitei até aqui.

Nesta igreja não parece ser diferente. Sento num dos bancos e observo fixamente o teto ornado e os elementos da arquitetura renascentista. Tento esvaziar a minha mente e arrisco até pedir uma ajudinha divina. Estou sozinha ali, exceto por uma senhora em seu momento de oração no fundo da igreja.

Fecho os olhos para meditar e, após um tempo, decido ir embora. A essa altura, provavelmente já fiz uma pequena purificação em minha aflição.

Quando estou a caminho da saída, noto um confessionário em um canto, e a senhora que há pouco orava no recinto agora se agacha ali para conversar com o padre. Alguma coisa se acende em minha mente e resolvo ficar para esperar a minha vez.

Nunca me confessei a padre nenhum, então fico confusa com a minha própria decisão. Sei que tem pouco a ver com a parte religiosa e mais com a minha agonia por não ter ninguém com quem eu possa desabafar.

Sentindo-me patética por ter de recorrer a um padre para contar os meus absurdos em vez de externá-los a uma amiga — uma vez que não tenho nenhuma adequada à situação —, ao mesmo tempo me estimulo, pois quem sabe não ganho alguns pontos com Deus... Já devo estar com menos dez, se aquilo que tenho em minha mente contar.

A senhora se retira e eu tomo o seu lugar. Um pouco desconfortável, sem saber como começar e ainda incerta de minha capacidade de falar italiano, digo:

— Er... oi, hum, meu nome é Bianca. É a minha primeira vez aqui. — E espero. Olho por aquele visor quadriculado e desejo poder ver a pessoa com quem estou falando mais claramente. É muito estranho isso, mas decido ignorar e acabo concluindo que talvez seja melhor não olhar em seus olhos ao despejar o meu segredo.

— Diga o que lhe aflige, Bianca — responde a voz profunda do padre. Sinto um arrepio.

— Bem... é uma história complicada. Eu queria contar tudo para a minha melhor amiga, porque, afinal, é o que eu sempre faço, por isso ela é a minha melhor amiga, certo? — disparo, ansiosa. — Acontece que desta vez eu não posso, porque ela está envolvida. Na verdade, todas as pessoas próximas de mim estão, quer dizer, com exceção dos meus pais e irmãos, o que faz tudo mais difícil.

O padre parece não estar entendo nada, e não porque eu esteja vacilando no idioma, mas porque estou tagarelando estupidamente. Limpo a garganta e decido ser mais clara.

— Hum. — Ele me convida a continuar.

— O.k., desculpe, vou falar logo o meu pecado. — Respiro fundo, preparando-me para tornar real algo que só figurava em minha mente até então. — Acho que estou apaixonada pelo melhor amigo do meu namorado.

Há um segundo de silêncio tenso. Imagino o padre franzindo o cenho, fazendo o sinal da cruz e me mandando para as chamas do inferno, mas ele age, surpreendentemente, de forma natural. Ou entediada, talvez. Provavelmente passou o dia ouvindo sobre pessoas que pensaram em matar seus maridos ou que realmente fizeram sexo com o vizinho, ou coisa assim.

— Hum. — É só o que ele exprime, outra vez, estimulando-me a prosseguir.

— Senhor padre... como é o nome do senhor? — interrompo-me.

— Padre Domenico.

— Certo, senhor padre Domenico, como o senhor deve imaginar, estou muito assustada, não sei o que fazer. — Encosto a testa na caixa de madeira. — Meu namorado tem andado distante, trabalhando muito, e acabei ficando bastante próxima desse amigo dele, com quem dividimos o apartamento. Enzo, esse é o nome dele, e meu namorado se chama Miguel, só para o senhor se situar.

— Hum.

— Ah, e tem um detalhe. Logo quando conheci Enzo achei que ele poderia ser um bom companheiro para a minha melhor amiga, mas agora ela está aqui, e talvez algo esteja acontecendo entre os dois... Só o pensamento disso já me faz ficar roxa de ciúme.

— Você estimulou o casal? — Ele procura entender.

— Sim. E agora estou desejando o homem por quem a minha melhor amiga está apaixonada, o qual, para minha "sorte", também é o homem em quem meu namorado mais confia.

Agora o padre parece um pouco abalado. Ouço-o suspirar.

— Algo já aconteceu entre vocês?

— Não — respondo com convicção. Então acrescento: — Mas numa noite em uma boate eu estava muito bêbada, só com Enzo e seus amigos, e comecei a provocá-lo. É como se desde então eu não conseguisse eliminar a vontade de atacá-lo.

Minhas palavras agressivas parecem deixar o padre Domenico desconfortável. Ouço-o se mexer no caixote.

— Bom, Bianca, você provavelmente sabe que isso não é saudável para seus relacionamentos. As pessoas sentem tentações em sua vida e precisam ser fortes para lutar contra elas. Por melhor que Enzo seja, tê-lo seria, pelo que entendi, magoar sua melhor amiga e seu namorado, duas pessoas com quem você se preocupa muito, estou certo?

Balanço a cabeça e, sem ter certeza de que ele pode ver, digo:

— Sim. — Olho para a arte que preenche o teto da igreja e sinto de repente um calafrio. — O senhor então acha que eu destruiria completamente a amizade dos dois, e a minha com Mari também?

— Há uma grande chance.

Sinto-me ainda pior depois de enxergar por essa perspectiva. Satisfazer os meus desejos com Enzo muito provavelmente não valeria a pena.

— O problema, padre Domenico, é que sinto que meu relacionamento com Miguel não é mais o mesmo, e não acho que seja só culpa de Enzo. Nossa aproximação se deu justamente devido ao afastamento de Miguel. Aí penso... e se eu nunca voltar a sentir por Miguel o que venho sentindo por Enzo? E se eu vir, de uma vez por todas, que Enzo é quem combina comigo, com a minha personalidade e o estilo de vida que quero seguir? É justo que eu perca todos para ganhá-lo?

— É nisso que você deve pensar — sugere o padre. — É uma escolha.

Estou certa de que o trabalho do padre não é ficar dando conselhos a garotas confusas de dezenove anos, mas passar o dever de casa e seguir com a fila de pecadores. Por essa razão, percebo que gosto do padre Domenico. Ele é paciente e me transmite tranquilidade. Como se fosse muito sábio, e não um simples julgador dos mais fracos.

— O que o senhor acha? Que devo manter o que tenho, então, e enterrar esses sentimentos? E tentar fazer as coisas funcionarem de novo com o Miguel?

— Sim. E quando se sentir aflita, ore, peça a Deus para tirá-la do caminho das tentações. — Assim, ele dá o seu perdão e passa os Pai-Nossos e Ave-Marias que devo orar.

Saio de lá mais aliviada e feliz por ter conhecido o padre Domenico. Ele me disse que posso voltar se tiver mais o que dividir com ele e com Deus, e anoto mentalmente a dica. Aparentemente, arranjei um psicólogo gratuito com acesso privilegiado ao Céu.

9

PLAYLIST:
Wings – Birdy
Broken – Lifehouse

A verdade é que não rezo os Pai-Nossos e Ave-Marias recomendados. Eu sei, desculpa, padre Domenico, o senhor é um cara muito legal, mas concordaria comigo que eu não tinha tempo para isso se estivesse na minha pele nessas últimas semanas.

Quando chegou a hora de Mari ir embora para a Alemanha, nós a levamos ao aeroporto, e enquanto Miguel e Enzo estavam ocupados comprando refrigerante e *croissants*, Mari me chamou num canto para conversar sobre como havia sido o café com Enzo no dia anterior. Ela disse que eles caminharam, sentaram-se em um local aconchegante, viram algumas coisas interessantes pelo caminho, como prédios e parques, e que houve uma conexão *incrível*, segundo suas palavras.

Não sei por que, não consegui acreditar. Quer dizer, não fazia muito sentido, porque até eu, que sou bem diferente de Mari, tenho uma grande conexão com ela, então por que Enzo, que é bem parecido comigo, não poderia ter? Acho que é simplesmente o fato de eu estar sofrendo de ciúme reprimido, recusando-me a ver que eu tenho de estar fora de qualquer equação que inclua a variável Enzo.

Aí perguntei a ela se houve beijo ou qualquer carícia. Para meu alívio, Mari disse que não, mas garantiu que é porque ele é muito tímido e ela não queria forçar a barra, para não assustá-lo. Ela ainda contou que eles trocaram contatos e que eles continuarão se falando a distância para levar adiante o que começaram. E me garantiu que, se durante essas conversas, ao longo da semana que ela passará na Europa Central, ela sentir que Enzo gostaria vê-la de novo e assim passar para a próxima etapa, ela pegará um avião de Amsterdã para Roma, antes de voltar ao Brasil, para concretizar o romance.

Ouvindo sua empolgação ao falar tudo isso, não consegui deixar de pensar que ela fantasia muito as coisas. Mari tem um histórico de se antecipar e acabar se precipitando com garotos e jurar que eles estão na dela quando, na verdade, estão só sendo legais. Desta vez eu não digo nada, pois não quero que ela fique contra mim. Tenho medo de que qualquer coisa que eu venha a falar possa me incriminar.

Depois que Mari foi embora, tive de tentar voltar à rotina, mas o curso estava ficando cada vez mais difícil, demandando muito esforço da minha parte, e Miguel, vendo a minha agonia para achar outro emprego, acabou aceitando que eu o ajudasse na loja.

O receio dele de minha mão desastrosa é tão grande que eu só faço tarefas ridículas que tomam tempo, como transferir planilhas para o Excel, escrever listas de coisas que temos de comprar e limpar a poeira do que tiramos de caixas.

Fico cansada do trabalho rapidamente e minha frustração por não estar fazendo nada que exija o cérebro me deixa irritada com ele, que não confia em mim para coisas mais importantes. Ele não me paga, então estou praticamente fazendo um favor. No início de outubro, finalmente percebo que não tenho obrigação nenhuma de satisfazer as vontades de Miguel.

Sim, já é outubro e Mari não voltou, o que significa, para a minha alegria medonha, que suas conversas com Enzo não foram muito esclarecedoras ou parecem não ter avançado. Ela não me fala muito disso, talvez esteja um pouco envergonhada e insegura, e comenta muito menos sobre ele, mas me garante que os dois ainda se falam por mensagem.

As aulas de Enzo recomeçaram na primeira quinzena de setembro e agora ele anda muito mais ocupado do que antes. Passei a vê-lo menos, também pelo fato de eu ter começado a ficar na loja. O problema é que a minha tentativa de usar mais tempo com o Miguel não está funcionando como planejei.

Como o trabalho na loja não me agrada, associo isso a Miguel automaticamente, uma vez que ele gerencia o lugar. Vê-lo em casa também não causa muita excitação, pois continua do mesmo jeito que antes: distante e cheio de vontades. Ele agora sai com Enzo e os amigos dele com muita frequência para baladas, sempre voltando depois das quatro da manhã — frequentemente às seis, e isso me deixa completamente irada. Enzo, quando vai junto, volta por volta das duas, três, e nunca está bêbado como Miguel.

Depois daquela primeira vez, não sinto mais vontade de sair à noite. Não quero ficar bêbada de novo com Enzo por perto, muito menos com Miguel. A verdade é que tenho medo do que posso falar ao Miguel quando estiver sem papas na língua, pois ultimamente venho engolindo tudo o que tenho vontade de dizer a respeito de suas atitudes e guardo tudo isso para mim mesma, em nome de minha paz de espírito.

A paz de espírito, no entanto, não acontece, pois em meu íntimo é como se nada tivesse mudado, mas apenas estivesse um pouco adormecido.

Decido "acordar" na segunda semana de outubro. Tenho uma discussão com Miguel enquanto estamos no escritório e saio dizendo que não volto mais para lá. Quando estou a caminho de casa, ele me liga para se desculpar e diz que é provavelmente melhor mesmo eu encontrar os meus próprios trabalhos, pois, por mais que ele seja o chefe ali, a verdadeira cabeça por trás é seu pai.

Quando encontro Enzo no apartamento naquela noite, ele me convida para ir à Calábria ficar na casa dos pais dele no fim de semana seguinte e pede para eu chamar o Miguel. Aprecio o convite e digo que vou conversar com ele.

Quando Miguel chega em casa e falo no assunto, ele me diz que não pode ir porque vai passar aquele fim de semana monitorando a reforma das vitrines e que, se eu quisesse ir sozinha, tudo bem, os pais de Enzo, ele conhece, são muito legais.

Informo a Enzo a minha decisão e nós compramos as passagens de trem. Quando imprimo os bilhetes e penso no que concordei em fazer, fico em dúvida se estou mentalmente saudável. Devo achar que sou forte o bastante para encarar uma viagem sozinha com Enzo, mas tenho um medo gigante de falhar absurdamente...

Bom, parando para pensar, eu só vinha considerando a coisa sob minha perspectiva. Enzo também tem seus sentimentos e suas convicções. Eu não saberia dizer se ele alguma vez me desejou como eu o desejo (infelizmente, com mais intensidade e frequência do que eu gostaria de admitir), mas tenho uma vaga noção de que, durante nossa dança sexy na Luce, ele se sentiu tentado. Não sei a que nível, pois Enzo é um cara muito contido e equilibrado, e tenho certeza de que, se ele teve ou tem algum desejo pervertido pela namorada do seu melhor amigo, tenta enterrá-lo em um buraco negro.

Então, bom, eu podia confiar no Enzo. Se por acaso eu perdesse o controle em algum momento, ele me daria um sermão e manteria o segredo para sempre. É claro que seria completamente embaraçoso e talvez eu não tivesse coragem de olhar na cara dele depois disso, mas não seria um desastre completo. E lógico que eu ia me comportar, ainda mais na presença dos pais dele. Eles conhecem Miguel. Tudo entre amigos e família...

No dia antes de ir à Calábria, tento passar uma noite prazerosa com Miguel. Até ignoro, pela primeira vez, que Enzo está no quarto ao lado, com a promessa de que procuraremos ser completamente silenciosos. Miguel fica louco de alegria com essa atitude, e nós dois fazemos o possível para nos curtirmos mudos.

Não é tão bom como poderia ser, imagino, mas ajuda a manter minha mente no homem que tenho em minha cama. É como uma sacudida que preciso praticamente todos os dias para notar que ainda há esperanças para mim e Miguel, e que, portanto, não devo me precipitar com nada. Tudo o que precisa ser consertado leva tempo.

Na manhã seguinte, Miguel nos deixa de carro em Roma Termini, a estação principal. Sigo então sozinha com Enzo, animada pela minha primeira viagem de trem, a qual deve durar umas quatro horas.

Levando apenas uma mochila, acomodo-a no bagageiro junto com a dele e sentamos lado a lado. Enzo já preparou a sua leitura — o segundo livro da trilogia *Os Arqueiros de Fogo*, do escocês James Eskler, e eu levo na mão uma obra em inglês que se chama *My Dear Winter*, de L. Howardson, emprestada de sua estante. Ambos já lemos o livro um do outro.

— Você me garante que este fica melhor? — pergunta ele quando peço para ver em que página está. — Porque, ao fim do primeiro, eu nem queria ler a continuação.

— Sim, eu sei, senti o mesmo, mas confia em mim, tem uma reviravolta de cair o queixo por vir. Você não vai conseguir largar.

Tiro os meus fones de ouvido da bolsa, pois tenho o estranho hábito de ouvir música enquanto leio, mas antes que eu possa me isolar em meu próprio mundo, Enzo começa a comentar sobre o livro que tenho no colo.

— Essa foi a melhor história que já li em muitos anos.

— Ouvi dizer que é bem emocionante.

Enzo coça o nariz e ajeita os óculos. Está com sua carinha de nerd de novo.

— Eu não sei o que esse autor faz, mas simplesmente cada palavra dele adentra em mim de modo único. Você vai ver, é fantástico. — E ele se encosta no assento, olhando-me de lado. Com os lábios fechados, dou um sorrisinho.

O trem parte e ambos lemos e relaxamos. A viagem é bastante longa e às vezes ele interrompe a leitura para comentar algo do livro comigo. Normalmente rio, com aquela sensação prazerosa de onisciência, morrendo de vontade de contar o que já está acontecendo no terceiro volume.

Em dado momento adormeço por quase duas horas. Sou acordada pela voz de Enzo, exclamando:

— *Mas o que diabos...?!*

Olho ao redor assustada, imaginando que estamos em alta velocidade a caminho de uma ponte quebrada ou algo assim, mas então percebo que ele está apenas se referindo ao livro. Compreendo no mesmo instante e dou risada.

— Surpreendente, não?

E ele começa a reclamar, mas lhe garanto que o rumo que isso toma é bastante positivo. Estimulada pela atmosfera, continuo a minha própria leitura.

My Dear Winter fala de Aidan, um garoto órfão que se refugia durante a Primeira Guerra Mundial e encontra uma família nômade nas montanhas, a qual passa a acolhê-lo. A história parece simples no início, mas o jeito como ela é desenvolvida realmente a torna especial e comovente, além de excitante. Leio muito depressa, quando falta meia hora para chegarmos, já estou na metade.

— Bom, não é? — Enzo se inclina para ver a parte que estou lendo.

— Nossa, muito bom — concordo. — Adorei esse trecho aqui. — E volto algumas páginas para ler para ele. Marquei-a com um pequeno vinco para me lembrar de transcrevê-la depois. — *Aidan olha para trás e aquele sentimento de covardia se mistura ao conhecimento de que entrou no dilema para que pudesse escolher* — leio em voz alta, em inglês, acompanhando as palavras com o indicador. — *Se a vida não era um desafio, e se suas primeiras escolhas fossem as que ficariam para o resto da vida, então o que seria o destino? Seria ele apenas uma pilha de erros baseados no primeiro ou uma montanha de dificuldades para que pudesse guiar a si próprio para o caminho certo?*

Tinha tudo a ver com a minha situação atual, concluí. Eu estava em um dilema que coloquei a mim mesma. Miguel foi a minha primeira escolha, e talvez minha vida pudesse ser uma pilha de erros que surgiriam dela. Ou eu poderia escolher o caminho alternativo, Enzo, e enfrentar as dificuldades.

Pelo que eu lia do livro, para Aidan a decisão sábia seria, depois de tudo o que viveu, escolher um destino diferente daquele pelo qual optou ainda muito novo e inexperiente. O padre Domenico parecia achar que no meu caso eu deveria manter minha decisão inicial. Do mesmo jeito que para Aidan, mudar de escolha a esta altura seria muito complicado e alteraria minha vida completamente, de maneira positiva e negativa. Eu não tinha capacidade de tomar essa decisão ainda.

— Eu adoro essa parte também. Para mim é como o momento mais decisivo, de onde vem todo o resto que ele vive.

A resposta de Enzo à minha leitura do trecho faz meu coração acelerar, pois me leva a pensar se ele tinha essa parte em mente como um guia para mim, tipo uma "mensagem subliminar", e por isso me indicou o livro, mas então caio na realidade e me xingo de boba, por estar criando fantasias tanto quanto Mari.

10

♪PLAYLIST:

Beautiful Goodbye – Maroon 5

When We Collide – Matt Cardle

Estamos perto de chegar e então começamos a nos preparar. Quando paramos na estação, desembarcamos do trem e sigo Enzo. Ele está à procura de seus pais, que se predispuseram a ir nos buscar.

Então percebo que talvez eu seja um tanto inconveniente. Afinal, o que eu estava pensando? Por que eu viajaria sem o Miguel para a casa dos pais de Enzo? Não sou nada dele, apenas uma *amiga*, e isso é meio embaraçoso. Resolvo expressar as minhas preocupações.

— Enzo, você não acha que é estranho eu estar indo para ficar com vocês? Quer dizer, sou só a namorada do seu amigo...

Enzo para sua caminhada e se vira para mim. Encaro os seus olhos, quase sem piscar.

— Bianca, você não é só a namorada do meu amigo. É minha amiga também. Minha melhor amiga.

Sinto-me ruborizar ao ouvir isso e o ar para antes de chegar aos meus pulmões. Aquela informação é totalmente nova para mim. Talvez não a de que sou sua amiga, porque pode ser mesmo evidente, mas a de que sou a sua *melhor* amiga, eu não tinha a menor ideia.

Não sei por que isso me choca tanto, uma vez que não conheço nenhuma amiga mulher de quem ele tenha proximidade, e acho que eu saberia disso, morando no mesmo lugar que ele. Os amigos que vão visitá-lo, jogar videogame ou buscá-lo para sair são, principalmente, os que conheci na boate: Bernardo, Filippo e Marco (e Enrico, que conheci depois). Bom, e Luciano e alguns outros conhecidos. Tem ainda uma tal Lara e um garoto que não lembro o nome, os quais Miguel conhece e parece ter alguma afinidade. Esses dois eu só vi de passagem.

Então me vem à mente: será que como *melhor amiga* estou à frente de Miguel? Parece-me meio impossível, mas do jeito que meu namorado anda "adulto" e independente, não duvidaria se Enzo o estivesse considerando menos do que antes.

Enzo segura os meus ombros e a sua expressão suaviza.

— Relaxa, o.k.? Eles vão te adorar. Você é nossa convidada.

Tento sorrir (ainda estou meio atordoada) e o sigo novamente.

Enzo, enfim, localiza sua família e acena para eles. Estão parados do lado de fora, perto de seu SUV: a mãe de Enzo, o pai e a irmã caçula de dez anos, Antonella. Enzo me falou muito pouco dela, mas já soube que ela gosta de música tanto quanto ele, e que não fala quase nada de português.

Dona Alba, a mãe de Enzo, me abraça após matar a saudade do filho e diz que é um prazer me conhecer e que devo me sentir à vontade enquanto estiver com eles. Ela é uma mulher de meia-idade, magra e bonita, de cabelos loiros em corte chanel.

Cumprimento o pai de Enzo, Seu Umberto, um senhor de uns cinquenta anos com um bigode respeitável e um sorriso muito alegre. Antonella me abraça de cara. Posso ver que é uma garota adorável. Ela me dá uma bala de caramelo e agradeço a gentileza. Reparo no quanto ela se parece com o irmão, só que ela é baixinha, mais baixa que as crianças de sua idade.

Enzo a segura no colo, praticamente jogando-a para o alto, e Antonella ri. O carinho dos dois me faz sorrir. Percebo que há tempo não faço isso com os meus irmãos.

No carro, bem empolgados, eles conversam em italiano, Enzo contando suas novidades, e em algum ponto a mãe dele interrompe e diz que devem mudar a conversa para o português de modo que eu também possa participar dela.

— Ah... obrigada. — Dou uma risadinha sem graça. — É muito gentil, mas não se preocupem. Estou entendendo bastante italiano agora. Bom, pelo menos comparado ao que eu sabia antes.

Mas eles gentilmente prosseguem com o resto da conversa em português. Perguntam das minhas aulas, da loja de Miguel, dos empregos que consegui e de onde vem a linhagem do meu pai. Antonella, sem entender muito, às vezes interrompe e, do banco do meio, vira-se para o irmão para comentar algum assunto aleatório. Enzo consegue dar atenção a ambas as conversas de forma admirável.

Pela janela, vejo a nova cidade. É bastante bonita e tipicamente italiana, antiga e tem seu charme peculiar. A casa deles fica num desses prédios que se assemelham àquelas construções medievais de ruas bem estreitas, e para chegar à porta é preciso subir uma escadaria externa que segue um pequeno zigue-zague. As entradas e as janelas das moradias da região são repletas de vasos com flores, um amor.

Entramos e sou logo recebida por um ambiente muito caloroso e aconchegante. A decoração me deixa imaginando que, seu eu tivesse minha própria casa na Itália e algum dinheiro, provavelmente faria algo parecido.

Fico meio sem graça ao entrar e espero as instruções de Enzo. A mãe dele (que me pediu para chamá-la apenas de Alba) diz a Enzo que deixou tudo de que posso precisar no quarto dele. Eles provavelmente já tiveram uma conversa para decidir onde eu ficaria. Pelo jeito, a conclusão foi de que ficaria no quarto do próprio Enzo.

Sigo-o e vejo que há um colchão extra apoiado em um canto e as cobertas e toalhas que devo usar estão postas sobre a cama dele.

— Bom, onde prefere dormir? Posso colocar o colchão onde você escolher. Antonella tem um espaço em seu quarto, a sala também é uma opção, ou você pode simplesmente ficar aqui nesse cantinho.

Olho ao redor, analisando o cômodo e as opções que Enzo me apresentou. O quarto dele é bem neutro e com decorações de outra época de sua vida, imagino, de seu tempo de nerd. Na verdade, acho que Enzo nunca deixou de ser nerd, mas penso que agora, aos vinte e dois anos, seus gostos mudaram um pouco. Pelo que sei, ele só fica na Calábria algumas vezes por ano, em feriados, férias e alguns fins de semana. Tudo está muito limpo e meio vazio.

Ele tem bastante espaço, e ficar no colchão em meu cantinho não deve ser um problema. Há um banheiro anexado ao quarto, portanto aquilo também me atrai. Fico pensando que ocupar a sala e fazer as pessoas terem de ficar quietas e não abrirem as cortinas é um tanto inconveniente, então tomo a minha decisão.

— Tudo bem por você se eu ficar aqui?

— Claro, sem problemas. Foi o que imaginei que seria melhor, também.

Enzo me ajuda a posicionar o colchão e me entrega a roupa de cama, que ajeito. Ele decide tomar banho e me avisa que em breve vamos jantar.

Enquanto Enzo está no banheiro, eu escuto o barulho do chuveiro ligado e imagino como seria estar lá dentro com ele. Deito em minha nova cama e teclo com Mari. Ela sabe que estou aqui e Miguel não veio. Não sei se ela sente ciúme ou se tem plena confiança em meu bom senso assim como Miguel confia. Ela apenas me diz:

> ***Mari***: *Tenta conhecer bem como é a família dele e como é a relação deles. A gente sempre julga bem um homem vendo como ele é com seus parentes.*

Fico pensando que essa é uma coisa que ela mesma deveria fazer. Não vou ficar repassando informações, estou cansada disso. Se Enzo quisesse que ela soubesse como é sua família, a teria convidado.

Então fico surpresa com a minha própria hostilidade. Mas, poxa, está cada vez mais evidente que a consideração de Enzo por mim cresce a cada dia, enquanto a relação dele com Mari não passa de um café, conversinhas por celular e algumas saídas comigo e Miguel junto. Parece que ela é a única que não vê isso.

Enzo sai do banho e chega a vez de eu tomar o meu. Enquanto lavo o corpo, tento lavar também a minha alma, mas não acho ser possível. Estou um pouco obcecada. Olho os xampus e cremes dele, cheiro-os e reconheço o aroma de alguns em seu corpo. Sinto arrepios por essa minha atitude reprovável, mas não consigo me impedir. Sou um caso perdido.

Quando saio do banheiro, completamente vestida e maquiada suavemente, Enzo já foi para a sala. Pego meu celular para falar com Miguel, pois talvez ouvir a voz dele desperte alguma saudade.

— Oi, amor. Como é que está aí? — pergunta ele.

— Tudo bem. Você tinha razão, os pais dele são muito legais, e a irmãzinha também.

— Ah, a pequena Antonella... Manda um beijo para ela.

— Mando, sim. E você, como está?

— Trabalhando na loja, como sempre... — Ele dá um riso rápido, soando cansado. — Muito estresse agora que estamos perto da inauguração. Mas acho que vai dar tudo certo.

— Que bom. Vai, sim. — Tento visualizar seu rosto, mas há algo diferente em mim, que não consegue sentir vontade de abraçá-lo como antigamente. — Miguel, tenho que ir, eles estão se preparando para o jantar. Devo perguntar se Dona Alba precisa de alguma coisa.

— Sim, tudo bem, vai lá então. Saudade, Bia...

— Saudade — digo, e estou sendo sincera, porque de fato sinto falta da nossa relação quando era a melhor coisa do mundo para mim. — Beijo.

— Beijo. Te amo.

Desligo. O "te amo" me deixa reflexiva. Foi realmente sincero? Faço uma análise e percebo que ainda posso dizer "eu te amo", mas provavelmente não "estou apaixonada por você". São coisas bem diferentes, noto pela primeira vez.

Vou à cozinha e encontro Enzo e sua mãe preparando a comida. Na verdade, descubro que já está tudo pronto e, quando pergunto no que posso ajudar, Enzo me diz para colocar a mesa junto com ele. Carregamos, então, os pratos, talheres e copos para a sala de jantar.

Como manda a tradição italiana, a refeição é dividida em várias partes — antepasto, prato principal, salada, sobremesa, presunto com melão etc. Temos um momento realmente agradável à mesa, conversando sobre variados assuntos e degustando as especialidades. Eles me elogiam quando tento falar italiano, dizendo que sou realmente rápida para aprender. Seu Umberto me conta que levou mais de um ano para falar algum português.

Durante o jantar, algo embaraçoso acontece. Antonella diz a Enzo que ele deveria levar *sua namorada* para conhecer o porto. Enzo dá uma risada curta e eu engasgo com meu pão.

— Bianca é namorada do meu amigo Miguel, Antonella — responde ele à irmã com um tom condescendente. — Bianca é minha amiga.

— Por que ele não veio? — me pergunta Antonella em italiano.

— Ele trabalha muito — respondo o melhor que consigo.

— Por que você não namora o Enzo, então? — diz ela, na maior inocência, e todos na mesa riem, inclusive eu, para esconder meu embaraço.

Enzo faz um cafuné na cabeça dela, bagunçando aqueles cabelos loiros, e sorri para mim, como que dizendo: "Crianças...". Outros assuntos surgem e logo todo mundo esquece desse.

Menos eu.

11

PLAYLIST:

Never Seen Anything "Quite Like You" – The Script

Burning Bridges – OneRepublic

Após o jantar, Enzo faz o sugerido: leva-me para conhecer o porto. Antonella escolhe não ir, diz que está cansada, mas, não sei por que, tenho a sensação de que ela está querendo bancar o cupido mirim.

Enquanto caminhamos rua abaixo, só eu e Enzo, pergunto:

— Você já apresentou alguma namorada à sua família?

Enzo parece um pouco sem graça com o assunto, mas me responde, com sua dignidade sempre intacta e o bom humor típico.

— Não, na verdade. Venho muito pouco aqui. Só quero apresentar a eles alguém que eu tenha certeza que valha a pena.

Olho para baixo, para o chão de tijolos de pedra, de repente muito tímida. Está escuro, porém não completamente, o céu tem um tom de azul royal e as luzes amareladas da rua já estão ligadas. Adoro caminhar pelos becos estreitos. Estranhamente, sinto-me segura e, com Enzo ao meu lado, também penso que não tenho nada com que me preocupar.

— Você acha muito difícil achar alguém que valha a pena? — Prossigo com o assunto. Já que começamos, preciso descobrir o que se passa dentro da cabeça dele.

Enzo dá de ombros, as mãos nos bolsos.

— Acho que tudo depende da sorte de encontrar alguém que combina com você. Há bilhões de pessoas no mundo, mas parece que podemos nos dar bem com apenas algumas poucas, e elas nem sempre cruzam o nosso caminho. — Ele me olha de relance, então continua encarando a rua. — E, às vezes, quando achamos essas pessoas, elas não estão disponíveis para nós.

Perco o ar completamente. Ele não me olha, continua andando com o rosto direcionado para a frente. Estou tremendo, e não está nem um pouco frio.

Enzo praticamente acabou de admitir que *ele quer alguém que não está disponível*. O que isso poderia significar? Eu sei a resposta.

Você pode dizer que tudo não passa de paranoia minha, a vontade enorme de ouvir algo favorável ou simplesmente minha cabeça fantasiando cem vezes mais que a de Mari. Eu posso ver, porém, na expressão de Enzo e no modo como ele evita meus olhos, que existe alguma coisa ali, *sim*.

Andamos em silêncio por um tempo. Não sei o que está acontecendo, mas há algo acontecendo. Aquela é como uma pausa para refletirmos. Enzo certamente se lembra de quando me libertei ao ficar bêbada, e aquela é a maior prova de que eu tenho um desejo reprimido. É claro que ele podia fingir que eu estava apenas fora de mim e louca para atacar qualquer um, no entanto sei que Enzo é mais sábio do que isso.

Fico com medo de que venhamos a tocar nesse assunto. Não quero falar sobre aquela noite. Não quero ser forçada a dizer a verdade.

— Como está sua relação com o Miguel? — pergunta ele. Olho em seus olhos pela primeira vez após vários minutos.

Respiro fundo e despejo:

— Bom... para ser sincera, estou confusa. Não sei se reconheço o Miguel de agora. É muito diferente daquele que eu conheci e comecei a namorar. — Enzo balança a cabeça para a frente suavemente. Continuo: — Por causa dessa coisa toda da empresa, entendo que ele foi quase que forçado a se tornar adulto mais rápido. Mas isso não deveria ser um problema. O problema é que parece que ele é incapaz de lidar com as outras coisas. Não consigo enxergar o seu amadurecimento nesse sentido. Ele pode ser um homem de negócios agora, porém, para mim, falha em todo o resto.

Enzo me olha. Ele provavelmente notou tudo isso sozinho.

— Acho que ele está numa crise de identidade — diz Enzo. — Ao mesmo tempo em que está se tornando um cara responsável no trabalho, quer compensar e ser jovem em outros aspectos.

— Exatamente! — Olho para ele e prossigo com veemência. — Quando ele volta para casa, acha que tem o direito de ter os mesmos cuidados que uma criança. A minha função é a de esposa que deve deixar para ele tudo pronto e bonitinho, uma vez que ele não deve ter nenhuma tarefa em casa, já que vive *muito* atarefado fora dela. E, quando tem oportunidade, sente que precisa sair para se divertir à noite, de modo a aproveitar, afinal, ainda tem vinte e um anos. É insuportável aguentá-lo chegando pela manhã, bêbado, exigindo tanto de mim. Claro que não vou me sentir disposta a satisfazer as vontades dele. Não sou sua escrava sexual.

Quando paro de falar, sinto o meu rosto aquecer-se de vergonha. Sem me dar conta, acho que me empolguei demais. Enzo, contudo, não parece se importar.

— Eu entendo, Bianca. — Ele olha em meus olhos. — Sei do que você está falando, porque eu também vejo isso.

Dou um sorrisinho irônico.

— Imagino que você possa se perguntar como eu ainda posso me sentir atraída a ficar com ele...

— Sei que quando se está num relacionamento de muito tempo as coisas são assim. Você tem de ser paciente com a outra pessoa e lutar pela volta da harmonia que possibilitou que ficassem juntos.

Mordo meu lábio, refletindo. Chegamos ao porto. Vejo o oceano bonito a distância, iluminado pela lua, os barcos balançando com a maré. Ali é bem diferente de Roma, uma parte da Itália totalmente particular e com o seu próprio charme. Entendo por que ele quis que eu viesse.

— Muito lindo — expresso, olhando ao redor. — Tem muita paz aqui...

— Sim. Eu adoro.

Ficamos em silêncio, as mãos nos bolsos, apenas contemplando e organizando os pensamentos em nossas mentes. Decido caminhar até a plataforma e sento num degrau. Enzo me acompanha e se senta ao meu lado.

Bastante consciente de que estamos ali sozinhos, envoltos numa paisagem completamente silenciosa e pacífica, sinto-me tremer novamente. O vento está mais frio agora, mas ainda assim isso não justifica tamanho calafrio.

O calor emanado pelo corpo dele ao lado do meu apenas me deixa plenamente consciente de cada um dos músculos do meu corpo, de cada centímetro de pele e de cada terminação nervosa sob a minha derme, o que me faz ter uma sensação amplificada de todas as coisas.

Nesse instante, quero, mais do que tudo, mais do que em qualquer momento antes, esquecer, apenas esquecer o contexto de minha vida e, assim, poder aproveitar com ele, tornando tudo aquilo o nosso segredo mais íntimo. Quero ter coragem o bastante para perguntar, para agir, para fazer daqueles minutos momentos inesquecíveis.

Olho para o lado, para o rosto dele, que está a uma distância quase insignificante do meu. Enzo olha de volta e ficamos nessa brincadeira, ambos sérios, sem nenhum pequeno sorriso. Sinto um clima entre nós muito forte como jamais senti até então. Esse é o instante em que qualquer coisa pode acontecer caso fraquejemos só um pouquinho que seja.

— Bianca...

— Hum?

E ele tenta criar voz para falar. Estou em um estado de transe, todos os pelos do meu corpo eriçados, meu estômago experimentando um milhão de acrobacias diferentes.

— Bianca. — Ele ainda me encara e eu também não desgrudo o olhar. — Não sei o que dizer sobre os seus problemas com Miguel.

— Diga o que pensa de verdade.

Enzo faz uma pausa, talvez reunindo coragem.

— Não posso dizer o que penso.

— Do mesmo jeito que não pode dançar comigo quando estou bêbada?

Não sei de onde essa frase vem, mas sinto um salto no coração por tê-la deixado sair tão espontaneamente. Agora ele tem certeza de que me lembro de tudo. Estou fora de controle...

— Sim. Do mesmo jeito — responde ele, e há uma tensão quase sólida no ar.

Pisco para baixo e ele, para o oceano. Quando volto a falar, retomamos o contato visual.

— Você acha que não devo tomar a mesma decisão que Aidan — deduzo, e ambos sabemos o que quero dizer com isso.

— Aidan foi feliz no fim, mas perdeu muitas coisas por sua escolha...

Antes de registrar o que isso significa, discuto:

— Você acabou de me contar o final da história?

— Ops! Desculpa... — Ele dá um risinho, e eu o empurro de leve com meu ombro. Logo voltamos à seriedade.

— Eu sempre ouvi, de todo mundo, que temos direito de mudar de ideia e fazer o melhor por nossa felicidade. Ficar com medo de magoar alguém deve contar, é claro, mas não deve ser decisivo.

— A pergunta é se você está preparada para essa consequência...

— Você estaria? — pergunto. Enquanto o olho, percebo a nossa sintonia, mas ao mesmo tempo tenho dúvidas se ele está captando o que está nas entrelinhas ou se, mais uma vez, estou imaginando.

Não... aquele olhar definitivamente significa alguma coisa. Por que estaria sendo tão misterioso se não?

Enzo olha para baixo.

— Não sei.

Ah, por que é que somos pessoas tão conscientes? Se fôssemos um pouco mais irresponsáveis, eu saberia o que estaria acontecendo agora, e o que, muito provavelmente, teria acontecido muito antes. Por que eu tenho de me preocupar tanto com tudo, ser tão certinha, e Enzo o mesmo? Sei que é uma pergunta idiota, mas, nesse momento, isso me irrita.

— Bianca. — Sua voz capta a minha atenção. Volto a imergir em seus olhos claros.

O poste próximo ilumina os nossos rostos. Mosquitos sobrevoam as nossas cabeças, mas não me importo com nada a não ser com Enzo ao meu lado. Seus cabelos estão maiores do que quando o conheci; ele passou a deixá-los crescer, e agora estão repartidos meio de lado, caindo um pouquinho em sua testa. Ele não tem espinhas no rosto, reparo, e sua pele branca é tão macia, posso imaginar, que é como um ímã para as minhas mãos, as quais não desejam continuar tão comportadas.

Esfrego as mãos para contê-las. Enzo abre a boca para continuar o que começou. Meu coração bate veloz.

— Quero que saiba que você é uma pessoa muito especial, e eu sou muito feliz por tê-la conhecido. Nunca havia convivido com uma garota que gostasse de *Zombie World* e *Death of Angels.* — Ele ri. Sorrio de volta. — Ou mesmo de *Os Arqueiros de Fogo*, ou que lesse *My Dear Winter* e não o achasse um livro chato e depressivo.

— É um pouquinho depressivo — acrescento, o que abre o sorriso dele.

Enzo prossegue:

— Você também me estimula a continuar com a minha música e me acompanha ao hospital como voluntária. Sem falar que às vezes me faz rir e fico orgulhoso por sua capacidade de largar empregos que não lhe agradam. — Rio com isso. Meus pais acharam que eu estava ficando maluca... — E é um pouco difícil acreditar que, sendo tudo isso, você ainda consegue ser simpática, doce, engraçada, bem vestida e muito bonita.

Ele consegue a façanha de me deixar vermelha tal qual um tomate italiano. Meu coração está quase saltando pela boca e sinto dificuldade de inalar o ar oceânico. *Ele está se declarando, é isso?!*

Não consigo conter a minha mão teimosa e ela se dirige ao seu rosto. Enzo fecha os olhos ao toque e sinto que ele está em um momento extremamente vulnerável. Não seria justo avançar agora. O pior é que sei que ele provavelmente retribuiria o beijo.

Imagino como ele está se sentindo, porque deve ser exatamente igual a mim. Pensando que não é justo haver uma pessoa tão perfeita para você que tem de ser justamente proibida assim. Porque, mesmo eu terminando com Miguel, começar um relacionamento com Enzo seria uma punhalada nas costas de Miguel, e das piores. Sem contar Mari.

Encosto a minha testa na dele, minha mão ainda em sua face, e ficamos assim, respirando um no outro, por alguns segundos melancólicos e reflexivos. Sei que bastaria eu tocar seus lábios minimamente para que tudo se desencadeasse, então me controlo, e aquele é o instante mais difícil da minha vida.

Penso como pode ser tão curioso o ato de encostar a minha testa na dele e de beijá-lo, embora próximos, ambos são contextos completamente diferentes, ainda que para as duas situações fiquemos praticamente à mesma distância. Tecnicamente, daquela maneira, mesmo com tanta intimidade entre nós, eu não estou traindo Miguel.

Ao piscar, os nossos cílios quase se encontram. Enzo fecha os olhos suavemente. Olho para baixo e seu nariz benfeito está bem ali, praticamente tocando o meu, em uma proximidade que nunca imaginei que estariam. A sensação de sua pele na palma de minha mão é como imaginei, muito macia, uma vez que ele está totalmente barbeado, e ali, tão de perto, sinto o cheiro delicioso de seu perfume... não, é o creme pós-barba, reconheço, envergonhada pela minha indiscreta investigação em seu banheiro.

Cada centímetro de minha composição se arrepia e sinto no peito uma sensação difícil de descrever, como um frio no estômago, mas, mais acima, uma pressão avassaladora que tira o meu fôlego por alguns segundos. Deus, como sou pecadora...

O céu fica completamente escuro. Enzo beija a minha testa e se afasta. O momento se quebra e eu começo a me arrepender por não tê-lo aproveitado. Duvido de que algo assim tão intenso aconteça de novo depois disso.

Ele se levanta e me oferece sua mão. Coloco-me de pé e ele começa a caminhar de volta. Eu o acompanho, minhas pernas bambas como geleia, certa de que, em um espaço tão curto de tempo, morri e nasci de novo.

12

♪ PLAYLIST:
Don't Go Away – Oasis
Bonfire Heart – James Blunt

As coisas ficam estranhas à noite. Toda vez que estou perto dele, sinto-me estremecer e as imagens do nosso momento especial passam em minha mente. Ficamos assistindo à TV com a família dele na sala, Enzo agindo naturalmente, como se nada tivesse acontecido, mas eu consigo perceber uma sutil mudança em seu comportamento. Ele evita me olhar diretamente nos olhos, e eu faço o mesmo.

Na hora de dormir, troco a minha roupa no banheiro, escovo os dentes e deslizo para debaixo das cobertas. Enzo mantém o abajur aceso e, antes de se deitar em sua cama, diz:

— Costumo dormir de cueca... Tudo bem pra você?

Viro o rosto para ele, que está prestes a desabotoar as calças.

— Eu nem ia notar, mas agora que você anunciou... — respondo com um sorriso. Não quero que nenhum clima esquisito fique entre a gente. Se não posso tê-lo como namorado ou amante, pelo menos quero mantê-lo como amigo. — Bom, você não se importou em minha segunda noite em Roma, então...

— Ah! — Ele solta um riso rápido. — Desculpa. Aquilo te incomodou?

— De maneira alguma. — Sinto que, depois do dia de hoje, não tenho mais muitas papas na língua. Afinal, para quê? O segredo acabou, de ambas as partes.

Enzo ainda está sorrindo. Ele dá de ombros.

— Se você diz, então. — E ele deixa as calças caírem. Cubro os olhos para fingir vergonha. Na verdade, *estou* um pouco ruborizada. Enzo continua: — Quer dizer, no meu ponto de vista nunca percebi diferença entre roupa de baixo e de banho. Por que as pessoas podem te ver nas de banho e não nas de baixo, se ambas mostram as mesmas coisas?

Dou risada de sua opinião. Descubro os olhos. Ele está em pé ao lado da cama, ajeitando as cobertas. Absorvo discretamente sua silhueta seminua.

— Então posso dormir de calcinha e sutiã? Tudo bem pra você? — brinco, esperando não estar provocando demais.

Enzo se deita na cama, cobre-se e sorri para o teto.

— Talvez eu goste de ver isso.

Jogo uma almofada em sua cara. Ele a agarra e nós dois rimos. Ele se inclina e aperta o interruptor do abajur. O quarto cai na escuridão.

— Boa noite, Bianca — diz, e sinto que essa simples frase contém um mundo inteiro.

— *Buonanotte*, Enzo.

***

Acordo com o meu braço dormente, por ter ficado numa posição desconfortável por um longo tempo e, ao perceber que aquilo que eu sonhava não era real, respiro fundo, frustrada.

No sonho eu estava em um momento de paixão com Enzo. Nós nos beijávamos e meu corpo verdadeiro conseguia viver perfeitamente todas as sensações. É como se eu ainda pudesse sentir seus lábios e sua língua, ainda que estes não passassem de criações da minha imaginação.

Viro-me de lado para tentar voltar ao sonho, mas, como parece ser uma tarefa impossível, decido levantar. São dez da manhã e Enzo ainda está dormindo. Espio pela janela — o dia está lindo lá fora, completamente ensolarado. Dirijo-me à cama dele e sacudo-o.

— Ei, bom dia!

Ele acorda sonolento, virando-se para mim meio assustado, como se não esperasse me ver em seu quarto. Aos poucos, ele volta à realidade.

— Bianca...?

— O dia está lindo, vem, vamos aproveitar.

Afasto-me e ele se levanta. Deixo-o entrar no banheiro primeiro e volto ao meu colchão, onde checo meu celular. Com uma pontada de culpa, vejo uma mensagem do Miguel.

***Miguel**: E aí, Bia, como está tudo?*

Sentindo-me totalmente suja por dentro, respondo:

***Bianca**: Tudo certo. Dia bonito hoje.*

Envio uma carinha feliz. Miguel manda outra de volta.

Naquela tarde, passeamos com Antonella junto. Acho bom ter outra pessoa conosco, pois assim posso me distrair e pensar menos em repetir o que aconteceu ontem.

Ela é uma garota totalmente adorável e nos passa uma energia muito boa, uma vez que está sempre disposta a explorar e aproveitar os lugares e as situações. Conhecemos os principais pontos de interesse da cidade, tomamos sorvete numa das melhores sorveterias e aproveitamos e pegamos o trem para um povoado vizinho onde há uma praia de que eles gostam muito.

Assistimos ao pôr do sol nessa praia, sentados na areia. Fico muito feliz pela decisão de ter ido passar meu fim de semana na Calábria. Esta pode ter sido uma viagem para de fato me testar e mudar e muito a minha relação com Enzo, mas foi também, definitivamente, uma oportunidade única de diversão e de conhecer as pessoas maravilhosas que são os Carlevaro — além, claro, da paisagem e da arquitetura dessa região lindíssima.

No domingo, Antonella já é minha fã número um e não quer me deixar ir embora. Ela me presenteia com uma barra de chocolate suíço como agradecimento por ela ter se divertido tanto no período em que eu estive lá, e fico emocionada. Abraço-a forte e ela sussurra no meu ouvido:

— Por favor, larga esse seu namorado e fica com o Enzo. Você é muito boa pra ele.

E então sinto mesmo que quero chorar. Abraço-a de novo e dou um beijo em sua testa, sem responder nada, embora eu queira muito prometer.

Despeço-me do pai de Enzo em casa, pois só a mãe dele vai nos levar à estação. Na hora de falar *"ciao"* a ela, Alba diz para mim, colocando ternamente as duas mãos nas laterais de minha cabeça:

— Foi muito legal te conhecer, Bianca. Fico feliz que tenha vindo. Antonella te adorou, e nós também. — Seu sorriso me cativa e faz com que eu me sinta realmente querida. — Venha sempre que quiser, nossa casa estará de portas abertas para você.

— Muito obrigada por tudo. Foi maravilhoso para mim também.

Ela dá um leve aperto em minha mão.

— Cuida do Enzo pra mim? Sei que ele é um rapaz muito responsável, mas saber que tem boas mãos femininas por perto é sempre um grande conforto. — Ela continua sorrindo, e eu sorrio de volta. Aparentemente, os Carlevaro querem montar um fã-clube para mim e, se houver uma votação, me escolher como sua nora (e cunhada). Acho que, depois disso, vai ser difícil para Enzo apresentar-lhes uma garota.

Fico tentando entender se eles não achariam um absurdo eu largar meu namorado, amigo de Enzo, para ficar com ele. Acho que a consciência de ver o filho feliz vale mais...

Prometo a Alba que vou fazer o possível (quero dizer, para cuidar dele) e digo ainda que espantarei as más candidatas. Alba responde:

— Ah, espante mesmo. — Como se ela quisesse completar "e tome o lugar delas".

Sorrindo de orelha a orelha, entro com Enzo no trem e nos sentamos para outras quatro horas na companhia um do outro e de nossos livros.

* * *

Estamos há trinta minutos no trem e viro o pescoço para comentar com Enzo:

— Fiquei com vontade agora de fazer um mochilão pela Itália toda... até mesmo pela Europa.

— Tem algumas cidades aqui na Itália que você não pode deixar de ir. Nápoles, Verona, Florença... Mas, seu eu tivesse de citar só uma, diria Veneza.

— É tão incrível assim? — pergunto, tentando imaginar, baseando-me nas fotos que já vi.

— É maravilhoso. Um lugar mágico.

— Dependendo do Miguel, não vou nunca.

— E por que você tem de depender dele?

Encaro-o de volta. Os olhos de Enzo parecem brilhar com uma ideia. Ergo as sobrancelhas, esperando.

— E se... a gente fizesse uma loucura? — sugere ele.

Meu coração dispara.

— O quê?

— Você acha que Miguel ficaria muito bravo se eu te sequestrasse até Veneza?

Começo a rir, sem acreditar em sua ousadia.

— Ah, para... você não faria isso. Você é previsível demais.

Ele faz cara de ofendido.

— Ah, é? Você duvida que consigo criar uma desculpa surpreendente?

— Vamos mentir para o Miguel, então? — Começo a sentir adrenalina com isso. Sou uma criança travessa outra vez.

— Só se você estiver disposta — ele dá de ombros — a passar oito horas num trem...

— *Oito horas?*

— Se fôssemos de avião seria bem mais rápido, mas é tarde demais. O que podemos fazer é descer em Roma e pegar um trem para Veneza.

— Você está falando sério, Enzo? Porque meio que não acredito...

— É claro que estou! — Ele ri. — Não tem problema eu perder a aula de amanhã. Passamos o dia de hoje viajando, não dormimos, quer dizer, só no trem mesmo durante a viagem, e aproveitamos Veneza até não conseguirmos mais ficar de pé. Aí voltamos à estação amanhã e pegamos um trem de volta a Roma.

Ele falando assim, o plano me parece bem possível. Começo a sentir muita empolgação pela aventura.

— *D'accordo* — topo a ideia e levanto meu braço para um *high-five*. Enzo bate em minha mão e pega o celular. Começamos a pensar no que falar para o Miguel e, enfim, ligamos.

— Alô? Miguel? — diz Enzo. Ao seu lado, tampo a minha boca para não rir alto. — Oi, sou eu. Então, deixa eu te falar. Perdemos nosso trem e entramos no errado. — Ele faz uma pausa e dá uma leve risada. — Esse nosso vai para Veneza direto. — Mais uma pausa. — Sim! Pois é, e o próximo trem de lá para Roma é só mais tarde. Vamos estar cansados depois de oito horas de viagem, então achamos que seria melhor encontrar um hostel por lá e voltar amanhã. Assim pelo menos a Bianca conhece alguma coisa também. O que você acha?

Enzo aguarda Miguel falar. Fico esperando, curiosa. Não consigo acreditar que Enzo é tão bom mentindo.

— Sim, eu sei, mas esse não faz nenhuma parada, eles são mais raros, mas acontece. — Imagino o que Miguel perguntou, pois normalmente os trens que vão para o norte param em várias estações, principalmente em Roma. Não sei se o que Enzo está falando é verdade, se existem mesmo alguns trens direto assim, mas tenho certeza de que Miguel não vai investigar. — Ã-hã, eles passam pra checar os bilhetes, mas eu vou explicar a situação ao guarda. Se receber multa, paciência... o que podemos fazer? — Ele ouve mais um pouco. — Sim, sim, te mantenho informado. O.k. Tá, pode deixar que falo pra ela. Abração, cara. Tchau. — E desliga.

Destampo minha boca e caio na risada. Por que é que estamos fazendo isso? Parecemos duas crianças, e no fundo me sinto mal, mas não consigo conter a ansiedade por aquela jornada inesperada.

— Miguel te mandou um beijo — avisa ele. Analiso o recado. Miguel nem pediu para falar comigo? Talvez ele esteja ocupado demais para sentir a minha falta. Enzo franze a testa. — Você acha que fizemos a coisa certa?

— Não sei, mas gosto da perspectiva de ver Veneza.

— É por uma boa causa, Bianca. Você *tem* de conhecê-la. Ele não vai te levar lá, tenho certeza, e se fôssemos sozinhos numa viagem planejada, e ele descobrisse isso, poderia ficar com ciúme. Porque, você sabe, é a cidade do romance e blá-blá-blá...

Sorrio para ele sutilmente e lhe dou um pequeno empurrão carinhoso para o lado. Enzo está me salvando de tantas maneiras que já perdi a conta.

— Obrigada — digo, de todo o meu coração.

— Você merece o mundo, *ragazza.* — Ele dá um pequeno aperto em meu nariz. Faço uma careta de brincadeira. Meu estômago é tomado por borboletas jovens e completamente empolgadas.

As primeiras quatro horas passam devagar. Tento dormir, mas o máximo que consigo é um breve cochilo. Pelo menos termino a leitura de *My Dear Winter* e, quando estamos perto de chegar a Roma, acordo Enzo.

— Terminei o livro.

Ele olha meu rosto de perto, procurando lágrimas.

— Você chorou?

Reviro os olhos, mas admito.

— Sim.

Ele sorri.

— Não odeia o autor?

— Tá brincando? É brilhante. O livro mais lindo que já li. É completamente especial. Obrigada por me apresentar a ele.

Enzo parece realmente feliz com a minha resposta. Tenho a impressão de que aquele é o livro favorito dele também, porém não quer admitir.

Descemos em Roma Termini, conforme indicado em nosso tíquete, e nos dirigimos ao balcão de compra para adquirir a segunda passagem. Pagamos mais caro do que se comprássemos com antecedência, mas Enzo continua reforçando que é por uma boa causa.

No segundo trem, com uma viagem de três horas e quarenta e cinco minutos, consigo dormir mais que no primeiro e, quando a posição fica desconfortável demais, deito a minha cabeça no ombro de Enzo. Ele não reclama, e assim consigo descansar pelo menos um pouco. Sem ter mais o que ler, quando estou inevitavelmente acordada, coloco os fones de ouvido e curto minhas músicas. Enzo ainda está lendo *Os Arqueiros de Fogo* e, quando termina, estamos a uma hora da chegada ao nosso destino.

Na última hora, finalmente dormimos de verdade, os dois. Acordo meio atordoada quando estamos passando por sobre a água. É uma sensação muito legal, como se estivéssemos realmente flutuando no oceano, uma vez que não dá para ver a plataforma abaixo com os trilhos.

Enzo me instrui a preparar as minhas coisas que logo vamos descer. A estação de Santa Lucia chega e nós saímos. Enquanto estou lá dentro, mal presto atenção nos meus arredores, preocupada em checar se estou com todos os meus pertences, porém, ao sairmos da estação, tenho a mais incrível das surpresas.

Mal tenho palavras para descrever o que vejo e o sentimento que vem dessa visão. Parece um lugar alienígena, fora da Terra, ou então pertencente a uma era passada. Acabo de sair de uma máquina do tempo.

— Bem-vinda a Venezia, Bianca — diz Enzo repleto de orgulho.

13

♪ PLAYLIST:

Only If for a Night – Florence + The Machine

Bitter Sweet Symphony – The Verve

É fim de tarde e as luzes já estão acesas em Veneza. A estação de trem fica bem ali, desembocando os viajantes diretamente no que esperam encontrar da mítica cidade, bem em frente a um grande canal e dos lindos edifícios antigos.

A cúpula verde se destaca e os barcos que passam pelo canal — incluindo ônibus e táxis aquáticos e lanchas da polícia — me fazem rir à toa desse lugar extraordinário.

— Muito obrigada por me trazer aqui, Enzo.

— Você ainda não viu nada.

Colocamos nossas mochilas nas costas e começamos a andar. Mal damos alguns passos e Enzo me convence de que vamos precisar de bilhetes vinte e quatro horas para o ônibus aquático, o *vaporetto*. Podemos, sim, fazer tudo a pé, mas o barco facilita, além de ser uma experiência singular. Nós nos dirigimos, então, aos caixas em frente à estação de trem e compramos as passagens.

— Meu Deus, como eu não soube desse lugar antes? — comento enquanto caminhamos numa rua perto da estação, repleta de lojas e restaurantes. A ilha é totalmente sem carros, feita para pedestres e embarcações. Isso por si só já é genial. — Quer dizer, é bem famosa e tal, mas por que ninguém nunca me disse quão legal ela realmente é?

— Você provavelmente não conversou com as pessoas certas. — Ele dá de ombros. — Tenho amigos que acham normal, nem bom, nem ruim, mas para mim é especial.

— E bota especial nisso! — digo, parando em frente a uma vitrine com máscaras de carnaval. Logo descubro que a cidade tem centenas de lojas e bancas que as comercializam, algumas feitas artesanalmente (e, se tiver sorte, você pode até ver algum artesão pintando-as atrás do balcão), enquanto outras são apenas de plástico, produzidas em série.

Ao caminharmos, atravessamos várias pontes e canais. A água tem uma linda tonalidade verde-escura e não sinto nenhum cheiro ruim, como algumas pessoas já me falaram que poderia acontecer. Enzo me informa que Veneza tem cento e setenta e sete canais e quatrocentas e nove pontes. Ele entra num hotel e pega um mapa da cidade para que eu possa ver. São várias ilhas, e a principal, onde estamos, é dividida em regiões. Ele me explica que estamos caminhando para *San Marco*, onde fica a praça mais importante.

A arquitetura da cidade é totalmente peculiar, diferente de tudo o que eu já tenha visto, até mesmo na Itália. Enzo me explica que a mistura que se vê, esse estilo único, é devido aos diferentes povos que passaram por aqui no passado. Veneza era uma ponte entre o Ocidente e o Oriente, por isso consigo ver em alguns detalhes, como em torres ou janelas, elementos e traços de influência oriental.

Logo percebo que é muito fácil se perder por aqui. As ruas são como partes de um labirinto. Quando nos damos conta, voltamos para o mesmo lugar ou então entramos num beco sem saída. É bem divertido, e eu não consigo parar de rir. Meus olhos também não parecem acreditar no que veem, naqueles prédios de tijolos aparentes onde pessoas de fato moram nos dias de hoje e em como é possível que todas as estruturas sob a água que sustentam a cidade ainda estejam inteiras depois de tantos anos.

— Caso veja alguma loja em que queira entrar, não deixa pra depois. Você nunca vai achá-la de novo — comenta Enzo, e acredito totalmente, por isso não perco a oportunidade de dar uma boa olhada em tudo o que me interessa. Quero uma máscara, mas decido esperar. O mais importante agora é ver o que eu conseguir.

Em certos pontos, há pequenas placas para indicar a direção de San Marco. Elas ajudam um pouco, mas continuamos a nos perder, até que a rua estreita em que caminhamos enfim desemboca na *piazza*.

Ao ver o centro de Veneza, onde festejos de carnaval, atividades políticas e importantes eventos tiveram lugar ao longo dos séculos, fico quase emocionada. A torre, chamada de Campanile, é a primeira coisa que chama a minha atenção, com o sino no topo e seu "chapéu" piramidal verde. Em seguida meus olhos são atraídos para a Basílica, uma belezura extravagante, e depois para o Palazzo Ducale, antiga residência dos governantes de Veneza, um prédio claro de padrões que também enche os olhos.

Caminhamos pela praça. Enzo apenas observa e se diverte com a minha cara deslumbrada. Aquele lugar supera toda a beleza que eu já tinha visto.

— Desculpa, mas aqui é melhor que Roma — digo a ele.

— Não para morar — defende Enzo. Penso um pouco.

— É, talvez não, mas que dá vontade de largar tudo para ser uma artista aqui, dá — digo de brincadeira. Ele me chama para continuarmos explorando. Há uma quantidade razoável de turistas, nada exagerado, portanto fico aliviada, pois imagino que Veneza seja um bom lugar quando se dispõe de espaço para apreciar as coisas, e não quando você está sendo esmagado por um grande número de pessoas.

Ainda na praça, paramos em frente à estátua do leão alado e o reconheço como o símbolo de Veneza, presente também na bandeira vermelha e amarela que vejo pendurada em toda parte. Como nerd que sou, acho que não tem nada mais *cool* que aquele lugar.

— Desculpa se eu estiver te chateando com tantos elogios à cidade. Devo estar parecendo uma idiota — digo a Enzo, que caminha com tranquilidade estampando um sorriso pacífico no rosto.

— Tudo bem. Chateei muito meus pais também na primeira vez que vim aqui — responde ele, e noto como gosto de seu perfil à meia-luz.

Em nossa andança sem rumo, passamos pela beira-mar, onde várias gôndolas estão estacionadas e uns dois ou três hotéis de luxo estão bem localizados. Em algumas partes precisamos atravessar mais pontes, sendo uma delas onde todo mundo costumeiramente faz uma pausa para alguns cliques.

É realmente uma belíssima vista dali à noite. Enzo se oferece para tirar uma fotografia minha, o que aceito, muito grata. Quando pego o celular para vê-la, ativo a câmera da frente e chamo Enzo para um registro de nós dois. Ele sorri com uma cara meio engraçada e eu ponho a língua para fora. É uma boa foto e fico contente de tê-la para recordação, só fico com receio de que Miguel a veja e o que ele pode pensar de mim...

Enzo sugere que andemos até a ponte de Rialto e continuemos seguindo naquela direção. De lá a vista é perfeita também, e enfim paro em uma loja para comprar o meu *souvenir*. Experimento máscaras e sugiro algumas a ele, até que ambos achamos as que mais combinam conosco e pagamos por elas.

— Desafio você a usá-la agora na rua — digo a Enzo quando saímos da loja.

— Mas nem é carnaval ainda!

— Eu sei, mas não me importo. Topa ou não?

Ele acaba cedendo e tira a máscara da sacola para que eu possa ajudá-lo a colocar. Faço o laço atrás de sua cabeça, ajeito a parte da frente em seu nariz e sorrio para o rosto mascarado diante de mim. Enquanto olho para aqueles lábios descobertos, imagino-o como o personagem de uma história do passado.

Ele me explicou que antigamente as pessoas usavam o carnaval e os bailes de máscara como desculpa para agir de forma louca, pois podiam esconder suas identidades e ninguém jamais saberia o que fizeram. Com o tempo, as máscaras foram proibidas por esse motivo.

Olhando para o Enzo mascarado, imagino-o como um galante nobre sequestrando a mocinha de seu amigo para uma noite de amor e aventura em um barco roubado, rumo à ilha de Murano...

Censurando minha imaginação ridícula, desperto quando Enzo sacode a minha máscara num estímulo para eu colocá-la também, de modo que ele não pague mico sozinho (embora em Veneza eu acredite que não exista algo como "pagar mico"). Aceito, pois quero entrar na brincadeira.

Minha máscara é roxa, cheia de purpurina e com uma pena do lado esquerdo. Sinto-me poderosa usando o acessório, como se tivesse incorporado um pouco da magia da cidade, e ambos seguimos desfilando os nossos visuais temáticos.

— Enzo, quais são os seus planos de vida? O que você pretende fazer depois que se formar?

— Hum, boa pergunta — diz ele com seu sorriso calmo. — Isso era uma coisa que eu queria te perguntar também. Mas, bom, vou responder primeiro. — Ele ajeita a máscara, como se ela estivesse caindo de seu rosto, e reduz o passo. — Quero arrumar um emprego na minha área, claro, e... ah, continuar a rotina, melhorando sempre, sendo promovido e tal. Mestrado é uma opção, também.

— Vai ficar em Roma?

— Vou aonde me chamarem, mas gosto muito de Roma e, se puder escolher, sim.

— E quanto a casamento e filhos? — arrisco perguntar, esperando que não soe muito como um questionário. Ele fita o meu rosto cintilante. Gosto da máscara. Ajuda a esconder as minhas emoções, e assim parece mais fácil conversar. Agora posso entender o pessoal de outras épocas.

— Hum... acho que sou bem aberto quanto a isso — responde ele. — Quando for a hora, por que não? Mas acho que para funcionar bem, eu preferiria esperar até os vinte e cinco, vinte e seis anos de idade pelo menos.

— Sim, eu acho o mesmo. Parte do que me apavorou no convite do Miguel de ir morar em Roma foi isso, a ideia de que ainda não sou velha o bastante para a vida de casados. Porque, para mim, morar junto é como estar casado, entende?

Então percebo que também estou morando junto com Enzo e não parece nem um pouco que estamos casados. Respiro fundo. Relaxa, Bianca, use o cérebro...

— Eu sei o que você quer dizer. — Ele parece compreender. — Para um casal esse é um passo muito grande, e ambos precisam estar preparados, ou então não funciona.

— Eu esperava morar com Miguel como se fôssemos amigos, sabe? Dormindo na mesma cama, mas sem aquela exigência um do outro, uma relação leve, entende?

— Sim, sim...

— Miguel acabou levando para o lado que eu temia — continuo a me abrir. — Passei a me sentir como se tivesse assinado um contrato cujos termos não li...

Paramos quando chegamos a uma ponte larga de onde é possível ter uma vista bonita do canal e das luzes que refletem na água. Há um homem ali perto tocando um violino e, quando nos vê — os dois jovens envolvidos em uma conversa profunda — passa a tocar com ainda mais ímpeto, como se pudesse nos embalar com a sua música (e talvez ganhar uns trocados no fim).

— Quais são os *seus* planos, Bianca? Depois dessa temporada aqui na Itália?

Fico pensativa por um momento. Lembrar que voltarei ao Brasil é uma espécie de choque. Na maior parte do tempo é como se minha mente tivesse se acostumado à ideia de ficar para sempre onde estou.

— Sinceramente, não sei... Tenho minha família lá, mas não sinto vontade de voltar à minha universidade, mesmo que para um curso diferente.

— Por que você não estuda aqui na Itália, então? Em Roma?

Sua sugestão é tão simples, mas é como se pela primeira vez eu a considerasse.

— Na verdade, seria bem legal...

— Você pode estudar de graça, Bianca. Quer dizer, tem uma taxa anual, mas é razoável. — Enzo se encosta no parapeito, sempre me olhando. — Como cidadã italiana, as portas estão abertas para você. Especialmente agora que está aprendendo bem a língua.

Concordo com um menear de cabeça, admirando as águas escuras pontuadas de reflexos coloridos.

— Vou pensar nisso, sim. É uma boa ideia. Mas como eu iria viver aqui?

— Isso se arranja, você não deve se preocupar. A cidade está cheia de jovens estudantes querendo dividir apartamento. Eu, inclusive, posso te ajudar.

A questão que não coloco em voz alta é: *E Miguel?* Ambos sabemos que se eu escolher ficar, não poderemos continuar o relacionamento, já que Miguel tem de voltar em janeiro ao Brasil para concluir seus estudos e trabalhar para o seu pai em BH.

A empresa em Roma é apenas uma experiência temporária para Miguel, um teste imposto por seu pai, e no fim ela acabará deslizando de suas mãos, passando às de outra pessoa. Ambos, eu e Miguel, somos turistas-residentes — por mais iludidos que possamos ficar com a vida que estamos tendo — pelo menos até que a gente resolva os nossos destinos. No fim, em apenas alguns meses, tudo isso que possuímos agora vai se acabar.

Pensar assim me deixa um pouco depressiva. Sei que, depois de tudo o que vivi aqui e o que ainda vou viver, sou uma nova Bianca, e tentar voltar à antiga será muito difícil. Enzo tem razão em me perguntar o que quero fazer, pois estou com tempo curto, na verdade. Nem decidi ainda o curso que quero e sei que a pressão dos meus pais sobre mim só tende a aumentar.

— Estou com fome, você está? — pergunta Enzo depois de mais alguns minutos de reflexão.

Estamos numa belíssima ponte em Veneza, ao som de um violinista com a sua melodia muito agradável, devo admitir, sob o clarear do luar e dos charmosos postes de luz, usando máscaras de carnaval e praticamente sozinhos naquele cenário de sonhos. Fome não é a única coisa que meu estômago sente. *Não, Enzo, eu não quero comer, quero apenas que você venha aqui, agarre minha cintura e diga que nesta dimensão extraterreste nada do mundo normal importa e me beije tão apaixonadamente que vou esquecer o meu nome. E, ainda, quero que me prometa que enquanto usarmos essas máscaras somos outras pessoas, portanto a culpa de nossos atos não cairá sobre nosso "eu" real. Quero que me leve numa gôndola (cujo passeio não custe oitenta euros) e que a gente navegue a noite toda sob as estrelas, fazendo planos de um futuro que, nesta noite, é possível.*

Tudo o que pateticamente digo, no entanto, é:

— Sim, vamos achar um restaurante, então.

E penso que, naquele instante, enquanto ainda tenho o olhar dele sobre os meus lábios, eu vou puxá-lo pelo pescoço e embriagá-lo com o meu beijo, muito mais do que poderia ter sido aquele dia na boate Luce.

Sim, reconheço, sou uma criatura horrível e não mereço Miguel, devo libertá-lo, mas ao mesmo tempo não consigo pensar em ter uma conversa para pôr fim à relação com ele. Se tiver de acontecer, se for esse o destino sendo construído, não quero que seja por causa do Enzo.

Assim, em vez de dar voz ao meu "eu lírico" de máscara roxa, respondo numa voz sóbria:

— Eu adoraria uma pizza de *pepperoni*.

E vamos embora lado a lado, deixando duas moedas de um euro para o violinista.

14

PLAYLIST:
Utopia – Alanis Morissette
Utopia – Within Temptation

Escolhemos bem o restaurante. Na verdade, foi meio que nossa única opção, considerando que já é tarde e todos os estabelecimentos estão fechando. Minha pizza de *pepperoni* infelizmente não se torna realidade, mas, em vez dela, servem a mim um delicioso ravióli.

Tenho a sensação de que todos os restaurantes de Veneza foram planejados para serem românticos. Sinto-me como num encontro com Enzo, nós dois sentados um de frente para o outro, tomando água em taças de vinho, a vela no centro iluminando sutilmente o ambiente e espalhando um aroma doce.

Os garçons também são muito elegantes e educados, e me surpreendo por todo esse cenário, considerando que estamos pagando apenas dez euros por prato. Aparentemente, meus desejos reprimidos de um encontro romântico com Enzo estão se realizando sem querer, mesmo sem a parte de sussurrarmos libidinagens charmosas e nos darmos as mãos sobre a mesa.

Ficamos contando um ao outro episódios engraçados de nossa infância e adolescência, o tempo ali passa muito depressa. Na hora de pagar, quase nos expulsam, uma vez que querem fechar logo o restaurante e já ficamos além da hora, mas ainda assim continuo com uma boa imagem do lugar e saio de lá bem satisfeita.

Quando saímos novamente para a rua, está bem mais frio do que antes e todas as lojas se encontram fechadas. A quantidade de pessoas circulando também diminuiu drasticamente. Já passa das onze e meia e Enzo me diz que devemos ficar pela Piazza San Marco, para assistir a uma coisa que acontecerá à meia-noite.

Ver o local vazio me traz uma enorme excitação, pois sinto como se fôssemos os donos do lugar. Meu modo "criança feliz" é acionado mais uma vez e começo a correr e dançar pela praça. Giro nos postes, subo e desço de palanques, até que Enzo, com suas risadas ecoando no silêncio, junta-se a mim e agarra o meu braço. Giramos juntos até eu ficar tonta e cair no chão, morrendo de rir.

— Tem certeza de que não está bêbada? — pergunta ele, chegando perto para me ajudar a levantar. Aceito sua mão.

— Aquilo era água, Enzo, não vinho branco — respondo com alegria e me ponho de pé com a ajuda dele. Gostaria que o violinista estivesse ali para nos embalar com uma canção. Quem sabe Enzo me tirasse para uma dança lenta...

Assim que ele me ajuda a levantar, ele se senta, bem ali, no chão, e eu fico com um enorme ponto de interrogação na cabeça. Noto que estamos no meio da praça, cercados pelos prédios antigos lindamente iluminados que fazem parte da composição. As luzes enfileiradas ainda se movem em minha vista, e desabo ao lado dele.

— Estou tomando o meu lugar para assistir ao show — anuncia ele.

— Hum. — É tudo o que respondo diante de seu ar de mistério e deito completamente o corpo quando ele o faz.

Enzo olha para seu relógio de pulso e diz:

— Só mais cinco minutos agora...

— O que é que estamos esperando mesmo?

— Você vai ver.

A ansiedade que me toma leva os meus olhos a percorrer todos os cantos que podem alcançar, minha imaginação fértil trabalhando a mil. Formo em minha mente um turbilhão de imagens de pessoas vestidas com roupas medievais dançando uma valsa de carnaval, então observo a imagem de um balão a gás descendo bem ali em frente à Basílica, assim como a de Enzo me surpreendendo com uma atitude inesperada, pulando sobre mim e me beijando sob as estrelas.

A meia-noite enfim chega e Enzo ergue a mão para me alertar. Ouço a primeira badalada, em seguida a segunda, e então olho para onde ele aponta: lá em cima, sobre o relógio, duas estátuas de homenzinhos segurando marretas se movem numa mecânica interessante para bater no sino e fazê-lo soar por toda a praça. É engraçado e bem legal, uma surpresa diferente do que eu imaginava, mas também especial. Dura algum tempo, talvez um minuto, talvez mais, e assim que o som acaba e os homenzinhos voltam à imobilidade, viro o pescoço para olhar para Enzo. Ele faz o mesmo, e ficamos assim, com sorrisos suaves desenhados no rosto, um para o outro, num clima similar àquele que houve no porto.

Já acho difícil contar quantos momentos no dia poderiam ter sido românticos, mas então penso bem e concluo que eles talvez *tenham sido*. A ausência de beijo ou carícias não exclui, necessariamente, o significado de todas essas vezes.

— Acho que já está na hora de tirar essa máscara — diz ele, colocando a mão por trás da cabeça para desamarrar o laço. Ao se livrar dela, olho para seu rosto normal e um arrepio toma a minha espinha, por me dar conta de tudo o que está acontecendo. Parte da minha mente não consegue crer que aquilo não é um sonho. Tudo neste dia parece surreal.

— Eu gosto da máscara — digo, embora estique a mão para tirar a minha também. Seguro-a com carinho. — Gosto da Bianca de Veneza.

— Para mim, é a mesma Bianca. — Ele sorri.

— Talvez ela só seja diferente dentro de sua própria mente, então. Infelizmente não é corajosa o bastante para agir de outras maneiras. — Ao dizer isso o meu coração dispara, pois acho que fui longe demais no quesito sinceridade.

Enzo pisca lentamente e seus olhos verdes ganham uma profundidade diferente sob aquelas luzes.

— Todos temos muitas faces, anjos e demônios dentro de nós. Às vezes temos de lutar contra um e outro. Usar uma ou outra máscara — diz ele com sua voz calma e baixa, e ainda assim ela ecoa alta por estarmos completamente sozinhos. — Pode me chamar de nerd. — Ele ri para o céu. — Li isso em um livro que tenho, e não sei por que decorei.

A cada situação em que fica provado o quanto somos parecidos um com outro, meu peito dispara em alegria e desespero, e sinto aquela velha urgência em deixar o demônio sair — a Bianca que seria reprimida em qualquer confessionário.

— Eu nunca vejo o Demônio Enzo, só o Anjo — digo em meu surto de honestidade.

— Acredite, ele se esconde muito bem... — Enzo sorri de lado, e percebo naquela declaração que ele também está queimando por dentro. Ai, meu Deus, como eu quero pecar...

Fecho os olhos e tento me concentrar para descansar. Temos muitas horas pela frente até o dia amanhecer e não faço ideia de como vamos preenchê-las, uma vez que não podemos dormir e já vimos praticamente tudo o que há para ver. Claro que há sempre ruas e vielas para se perder e se reencontrar, mas agora é como se a minha energia já tivesse se esvaído. Também não imagino como posso continuar segurando os meus instintos.

— Está com sono? — pergunta ele.

— Sim — murmuro. — Agora percebi quanto estou cansada. O que vamos fazer?

— Compramos os bilhetes do *vaporetto* e nem usamos. Acho que devemos dar uma volta.

Estou com preguiça, mas é uma boa ideia, então me levanto e estendo a mão para ele.

— Vamos.

Caminhamos até o canal de mar aberto e validamos nosso tíquete antes de entrar numa daquelas cabines flutuantes que são as paradas do ônibus-barco. Enzo analisa o trajeto e escolhe o número do que precisamos pegar.

— Eles passam a essa hora? — pergunto com descrença. Somos as únicas pessoas esperando o transporte.

— Sim, eles rodam até de madrugada.

Esperamos mais ou menos cinco minutos e o barco chega. Enzo me chama para sentar lá no fundo. Passamos a cabine interna, ignorando os assentos no quentinho, e saímos para o ar da noite na traseira do *vaporetto*. Há apenas quatro assentos ali e ocupo um ao lado dele. Ao partirmos pelo mar, aprecio o vento fresco que sacode meus cabelos e observo San Marco se afastar, suas luzes enchendo os meus olhos de brilho.

É barulhento ali e treme porque estamos perto do motor, mas isso pode ser facilmente ignorado quando estou prestando atenção nos meus arredores. Sinto-me incrível, livre e maravilhada, e passo até a esquecer os meus conflitos internos. Olhar a água ondulando enquanto a desbravamos, as ilhas que atravessamos e Enzo — bem ali fazendo companhia a mim em toda essa aventura — me faz pensar no quanto Miguel está perdendo.

Ele não pode continuar com essa obsessão pelo trabalho. Entendo quanto é importante, mas agora percebo o que ele está deixando de lado por não se importar com mais nada, e quanto eu, automaticamente, tenho perdido com isso. Fico feliz por não ter me deixado prender por causa das resoluções dele. Se eu não tivesse aceitado a loucura de Enzo, jamais viveria tudo isso.

Aproveitamos a viagem em silêncio, apenas comentando de vez em quando o que estamos vendo, e Enzo, por fim, me diz para descermos de volta em San Marco quando dermos uma volta completa, uma vez que não há mais nada mesmo para descobrirmos àquela hora.

O moço que amarra o barco nas paradas parece meio confuso quando nos vê descendo no mesmo lugar que embarcamos, mas imagino que deva ser normal pegar o barco só para passeio. Com um "ônibus" assim no meu dia a dia, eu não me importaria nem um pouco de passar horas à toa nele.

Ao sairmos de volta na praça, a questão do que vamos fazer no resto das horas que temos nos pega em cheio novamente. Estou extremamente exausta agora e digo isso a Enzo. Sento no primeiro banco que vejo, largo a mochila no chão e massageio os meus pés. Ele fica olhando ao redor, reflexivo.

— Somos desabrigados, sem-teto, mendigos — digo dramaticamente. Ele ri e concorda. — Será que dá pra gente fazer um travesseiro com as nossas mochilas e dormir ali naquele cantinho? — brinco.

Enquanto estou dizendo isso, um trovão soa e noto quanto o céu está cheio de nuvens carregadas. Ops!

— Puxa, não estava contando com chuva... — diz ele.

E, antes que a gente tenha tempo de pensar mais um pouco, as primeiras gotas caem. Coloco o capuz do meu casaco na cabeça e Enzo faz o mesmo. Ficamos nos olhando e rindo de nossa falta de planejamento. A chuva aumenta e começa a ficar realmente irritante.

Quando raios riscam o céu, percebo que está ficando mais sério e nós corremos para debaixo da cobertura mais próxima.

Olhando a praça se encharcar, começamos a fazer planos. Enzo diz que seu amigo lhe indicou um hostel bom e barato na região. Decidimos sair para achá-lo. Andando embaixo da chuva, nos molhamos rapidamente (nossos casacos não são à prova d'água), nos perdemos, como esperado, e enfim — *enfim!* — encontramos o tal hostel.

Abrimos a porta, com alívio por entrarmos em uma área seca e quente, e Enzo avança rumo à humilde recepção, onde conversa com o rapaz ali. Eu fico em pé perto da porta, para não molhar o *hall*, e espero. Posso entender quase tudo o que estão dizendo e logo compreendo, com decepção, que não podemos ficar, já que estão sem vagas.

Enzo agradece e pede alguma indicação de hospedarias próximas. O rapaz diz que não conhece outros hostels, mas que há um hotel simples, duas estrelas, a apenas alguns passos dali. Ele nos indica a direção e nós saímos à procura do lugar.

Entramos no hotel ainda mais molhados, uma vez que a chuva só aumenta, e Enzo repete o mesmo procedimento. Desta vez, fico perto dele. Espero realmente que possamos passar a noite ali, pois não aguento mais andar e estou tremendo de frio.

O homem da recepção é um tipo bonachão, está falando inglês porque viu que sou estrangeira, mas seu sotaque é algo caricato, como se ele o fizesse de propósito. Ele nos diz que tem vagas e, todo pomposo, mostra os valores. Não é barato como poderia ser, mas tudo bem, não acho um absurdo na situação em que estamos. O único porém é que todos os quartos de duas camas de solteiro estão ocupados, segundo ele nos diz, portanto ele só tem disponível quartos com cama de casal.

Minhas sobrancelhas se erguem um pouco e Enzo olha para mim, muito profissional.

— Eu não me importo, você se importa, Bianca?

Olho de Enzo para o atendente que nos encara com cordialidade, o sorriso plástico em seu rosto de namorado da Barbie. Tudo o que quero é uma cama, no entanto tenho consciência de que a situação é um pouco desafiadora. Mas o que é que eu posso fazer?

— Por mim, tudo bem. — Sacudo os ombros, sentindo-me tremer levemente.

Enzo confirma nossa escolha e fazemos o pagamento. O homem pega nossos passaportes para tirar cópia e entrega-os de volta junto com as chaves, em seguida faz sinais exagerados para que subamos as escadas e fiquemos à vontade.

Rindo discretamente da figura que é o recepcionista, Enzo toma a liderança para a suíte, localizada no primeiro andar. Ele abre a porta e me deparo com a tentação em forma de quarto.

Não é nada muito luxuoso, porém, da mesma maneira que os restaurantes em Veneza, os quartos de hotel parecem ser planejados para uma estada romântica.

Engolindo em seco, deixo minha mochila na poltrona e Enzo fecha a porta. As cortinas são vermelhas aveludadas, temos à disposição TV, chá e café, guarda-roupa ornamentado, o chão é acarpetado com padrões florais e no banheiro há sabonete, xampu, condicionador e até secador de cabelo. Sem mencionar as velas e o abajur de meia-luz perto da cama.

Já falei da cama? Bom, essa é uma coisa grande, cheia de travesseiros e iluminada de uma forma que a torna muito atrativa para dividi-la com seu parceiro.

Tentando manter a respiração normal, tiro meu casaco, tênis e meias encharcados e decido que preciso de uma ducha quente. Meus cabelos estão pingando.

— Tudo bem se eu tomar banho primeiro? — pergunto, mexendo em minha mochila em busca de roupas limpas.

— Sim, claro, vai em frente.

— Se você precisar de alguma coisa lá dentro, bate — digo ao entrar no banheiro, e meu estômago começa a fazer palhaçadas de novo só ao pensar em Enzo entrando para se juntar a mim no chuveiro.

Fecho a porta mas não tranco, pois não me importo, infelizmente estou entregue ao que ele quiser fazer, estou colocando a decisão em suas mãos, e isso é bom e ruim ao mesmo tempo, porque Enzo parece ser mais controlado do que eu.

Debaixo do chuveiro, fico esperando, inutilmente, o momento em que ele vai invadir. Não acontece. Embrulho-me na toalha e percebo que esqueci as minhas roupas no quarto, e nem foi de propósito. Sem me importar mesmo, até um pouco propensa a provocar, abro a porta devagar e o vejo deitado na cama, passando os canais na TV.

— Eh... esqueci minhas roupas — aviso antes de sair enrolada na toalha.

Enzo olha rápido, como se não tivesse notado, depois volta o olhar para mim, observando minha figura enrolada na toalha. Ando lentamente, espremendo os cabelos suavemente, até a poltrona onde esqueci minhas coisas e, antes de retornar ao banheiro, arrisco uma olhadinha para trás para ver a reação dele.

Enzo ainda está me olhando.

Ele tenta disfarçar, colocando o foco de volta na TV, mas já o peguei no flagra. Meu coração retumba selvagem.

Tenho vontade de deixar a toalha cair e me jogar na cama, e desligar a TV, e começar a remover as roupas dele. Isso seria o que a Bianca de Veneza faria. Pela primeira vez em muito tempo, sinto um instinto sexual grande, eu *quero* aquilo, e me censuro por estar querendo com Enzo, e não com Miguel. Talvez seja algum tipo de síndrome de almejar o que não se pode ter, e que na realidade poderia ser que nem fosse tão fantástico assim. Tento me convencer dessa ideia e apenas pego as minhas roupas para levá-las ao banheiro.

Lá dentro, já vestida de calça legging de algodão e camiseta, sem sutiã, respiro fundo enquanto me olho no espelho. Estou completamente errada em minhas atitudes e, por mais que eu possa querer satisfazer meus desejos loucos, tenho de ser consciente e agir da maneira mais natural possível. Chego à conclusão de que, assim que voltar a Roma, preciso me afastar de Enzo de vez.

Saio do banheiro, Enzo desliga a TV e segue então para o seu banho. Não me importo com meu cabelo molhado, estou exausta e apenas deito a cabeça no travesseiro. Com sorte, dormirei depressa.

Quando Enzo termina, estou coberta, de olhos fechados, virada de costas para o seu lado da cama. Sinto o peso dele ao se sentar no colchão e pergunto, sem me virar, esperando que ele consiga ouvir o tom de riso na minha voz:

— Vai dormir de cueca hoje também?

— Se você preferir, eu mantenho a camiseta.

— Por favor.

Tenho ciência de que essa declaração pode denotar que estou tentada, mas não ligo. Imagino que ele próprio esteja.

Enzo se acomoda sob as cobertas e vejo que estamos fazendo o máximo para não nos tocarmos. Fico em uma ponta do colchão e ele na outra. Eu de lado, fazendo um muro com minhas costas, e ele de barriga para cima.

— Boa noite, Bianca — diz ele.

— *Buonanotte*, Enzo — respondo sem olhá-lo. Não posso ver aqueles olhos agora...

Ele desliga o abajur e se acomoda. O quarto cai no silêncio e espero sinceramente que o sono possa vir.

15

PLAYLIST:
Fire Meet Gasoline – Sia
Why Try – Ariana Grande

O sono não vem. Meus olhos se abrem várias vezes. Encaro o teto típico veneziano — de toras de madeira enfileiradas a certa distância entre si, intercalando com faixas brancas — e já virei para tantos lados que não me admiraria se Enzo também não conseguisse dormir.

Ele permanece com os olhos fechados, no entanto. Ainda está de barriga para cima e sua respiração é regular. Estou na mesma posição que ele agora e meus olhos inevitavelmente o observam.

O que vejo tanto nele? Por que o coloco tão acima de Miguel? O problema todo não seria eu e minha forma doentia de ver o mundo? Preciso de um psicólogo. Até pouco tempo atrás eu achava que isso era normal, mas agora está começando a me preocupar de verdade, porque estou andando de forma desgovernada em direção a um abismo do qual não poderei sair depois.

Analiso o perfil de Enzo. É muito belo e simétrico, mas, pela primeira vez noto que não é completamente perfeito. Ele pode não ser considerado o cara mais bonito por todo mundo, acho que é uma questão de gosto. Sei que muitas garotas com quem estudei prefeririam mil vezes o Miguel — moreno, másculo, olhar sensual e olhos verdes impremeditáveis contrastando com o seu tom de pele.

Talvez eu apenas tenha descoberto que gosto mais de loiros. Ou de rostos que parecem provocativos, inteligentes e inocentes ao mesmo tempo. Ou de uma personalidade mais suave e sensível.

Miguel é o tipo de cara que te pega meio agressivamente e te beija com ardor, quase com força. Ele certamente pode levar uma garota aos seus limites com facilidade, e isso é bastante sexy para muitas delas. Nossos momentos de paixão foram repletos de vezes em que senti um pouco de dor e incômodo por sua pegada forte. Suas mãos rápidas e experientes parecem conhecer todos os caminhos, e seu desejo por ir até o fim o torna muito sedutor.

Talvez minha primeira vez não tenha sido muito boa porque ele não está acostumado a lidar com garotas frágeis e inexperientes, e é meio difícil lhe ensinar uma coisa dessas a essa altura. Ele é difícil de controlar e de me ouvir, quando quer uma coisa não vejo escolha a não ser atendê-lo, pois ele tem um jeito particular de me levar em sua conversa fazendo uso de suas "armas" de persuasão.

Isso não é de todo ruim, mas acho que, no fundo, eu sempre quis que ele fosse mais calmo e romântico. Eu sempre quis que pudéssemos conversar sobre assuntos profundos e falar por horas sobre algo que lemos, sobre as nossas concepções políticas e sociais, e que pudéssemos aproveitar mais a simplicidade. Miguel sempre foge do que não o interessa. Ele nunca tem tempo ou paciência para certas coisas, pois sempre quer ir direto ao ponto, e me corta constantemente quando estou falando de algo que ele considera irrelevante.

No fim, acredito que Miguel e eu somos espécies diferentes. Nós nos ajudamos em alguns pontos, mas agora acredito que chegamos a um momento em que eu não consigo mais mudá-lo nem mesmo ele consegue se impor a mim.

É muito fácil ser levada por Miguel, derreter-se por seus olhinhos pidões, por suas carícias fora de hora e fazer exatamente o que ele quer. É fácil deixar as minhas coisas de lado e largar tudo por ele, e acreditar que o que ele acredita é o mais importante. Vejo-o como um bom político. Se ele decidisse seguir essa carreira, tenho certeza de que seria bem-sucedido.

Então percebo todo o problema. Não foi Enzo. Enzo foi apenas um anjo para cuidar de mim quando eu encontrava a mim mesma. As coisas começaram a ficar ruins quando percebi que eu não queria fazer o que Miguel queria que eu fizesse. Nunca tivemos esse problema antes, pois no Brasil, como não nos víamos sempre, eu acabava concordando com tudo o que ele queria e, em nome de nosso relacionamento, fazia exatamente o que era preciso.

A única coisa em que não cedi foi o sexo, e ele me concedeu esse único poder. Quando enfim concordei, foi como dar a ele a parte da Bianca que ele ainda não controlava, e depois disso eu estaria completamente em suas mãos.

Esfrego o meu rosto. De onde vem tudo isso? Estou finalmente enxergando uma verdade que fingi não ver por todo esse tempo? Ou estou apenas criando um perfil para Miguel que possa culpá-lo, para aliviar a minha própria culpa no fracasso de nossa relação?

Olho de novo para o rosto adormecido de Enzo. Tenho um carinho enorme por ele, isso não posso apagar, e, por mais que meu corpo o deseje ardentemente, e que cada vez que temos um momento de empatia eu queira explodir por dentro, sei que tenho de me controlar.

Minha resolução para quando eu voltar a Roma é de passar mais tempo com Miguel e analisar o que de fato está acontecendo conosco. Posso acabar provando que estou totalmente errada em minhas concepções e talvez voltar a amá-lo como no princípio do nosso namoro.

Os olhos de Enzo piscam ainda fechados e ele de repente os abre. Levo um susto de leve e não consigo esconder que o observava. Enzo me encara de volta, talvez situando seu cérebro no mundo real, e não diz nada, apenas me contempla. Talvez ele nem tenha dormido, só seja melhor do que eu em disfarçar a sua insônia.

Viro-me de lado para vê-lo melhor e ficamos nos olhando por longos minutos, tentados e travados. Eu, enfim, quebro o silêncio.

— Estou em dúvida, Enzo...

Sua resposta é baixa, quase um sussurro.

— Não é um segredo mais. — E sei que ele se refere a ambos. Sinto os meus olhos arderem. Ele continua, e meu peito se aperta junto aos tremores que tomam meu corpo. — Você confia em mim?

Balanço a cabeça, assentindo. Ele levanta a coberta um pouco, abrindo o braço para me convidar a chegar perto. Aninho-me em seu peito, sentindo o maravilhoso calor de seu corpo atravessando a camiseta fina. Sua mão me segura de encontro a si, sinto então uma sensação incrível de acolhimento. É ali que eu quis estar o dia inteiro, e agora está acontecendo.

Posso ouvir seu coração batendo, tão louco quanto o meu, e fecho os olhos para apreciar o som. Levanto os olhos em seguida, para ver o seu rosto, e digo bem baixinho:

— Rápido. — E ele sabe que me refiro a seus batimentos. Minha mão se encontra sobre seu peito, perto de onde minha cabeça está deitada, e sinto o relevo de seu tórax. Meus pelos se arrepiam. Enzo ri silenciosamente de meu comentário. Acrescento: — Isso não está ajudando...

— Não, mas eu gosto da sensação em meu estômago. — Sua resposta me surpreende e faz com que meu corpo reaja tal como o dele.

Olho-o novamente e nosso contato visual é tão poderoso que sei que estamos perdidos. Se não acontecer agora, vai acontecer em outro momento. Isso, claro, se continuarmos nos vendo como vem acontecendo. É uma decisão toda nossa.

— Você me trouxe aqui pensando em alguma coisa específica? — pergunto, e isso pode se referir à Calábria, a Veneza, ao hotel ou mesmo ao aconchego de seus braços.

Ele responde:

— Pensando, sim, mas não quer dizer que eu vá fazer...

Sinto o ar fugir, tornar-se rarefeito.

— A decisão é minha, então? — pergunto de forma engasgada, praticamente sem voz.

— Eu sei que você faz as escolhas certas, Bianca, por isso deixo com você.

Não posso acreditar. Agora sou eu que tenho de tomar as rédeas da situação. O tempo todo achei que cederia quando ele mostrasse a oportunidade, mas agora sei que tudo depende de mim, das minhas iniciativas.

— Assim você está colocando a responsabilidade toda sobre mim — digo receosa.

Ele me dá um leve aperto com seu braço e beija o topo da minha cabeça.

— Acho que devemos dormir agora — diz ele, demonstrando incerteza.

Olho para cima, encontrando sua expressão conflituosa, e faço um gesto de concordância. Por mais que eu queira que a melhor noite da minha vida aconteça bem aqui, sei que me arrependeria depois.

Ergo o corpo de onde estou e movo-me para o meu lado da cama. Toco o rosto dele num gesto breve, com carinho.

— Boa noite, Enzo. — E viro-me para o outro lado.

Fecho os olhos e sei que não será agora que conseguirei dormir, e provavelmente ele também não. De certa forma, sinto que já estou traindo Miguel. Não quero tornar isso oficial. Ainda acho que posso consertar as coisas, de uma maneira ou de outra.

* * *

O dia amanhece ensolarado, sem resquícios da chuva da noite anterior, e nós nos levantamos e fazemos o *check-out* por volta das dez. Sentimos que não temos mais muito para ver na cidade, especialmente depois do dia de ontem, que foi totalmente intenso, então apenas vamos a uma padaria comer algo de café da manhã e tomamos o *vaporetto* para Santa Lucia, de volta à estação.

Compramos nossos bilhetes para Roma e aguardamos por meia hora até podermos pegar o trem. Hoje estamos mais silenciosos, acho que a realidade do que está acontecendo finalmente nos pegou, e precisamos de um tempo para avaliar as coisas.

Passo a maior parte da viagem dormindo (ou fingindo que estou) e ouvindo música. Enzo comprou uma revista sobre carros e a lê para se distrair. Após três horas e meia, chegamos a Termini, e Miguel está lá nos esperando, já que mandei uma mensagem para ele dizendo a hora que voltaríamos.

O abraço que recebo dele tem um poder de alívio e fico contente de estar de volta a uma zona da qual tenho (algum) controle. Estou mesmo disposta a fazer as coisas do jeito certo com Miguel e, se ainda sentir alguma fagulha que seja entre nós, lutarei pelo nosso relacionamento. Se terminarmos para que eu fique em Roma a partir de janeiro, pelo menos farei isso com a justificativa certa. Percebi que não posso me relacionar com Enzo, mesmo que venha a ser o que eu realmente queira, até que eu esteja sozinha em Roma por pelo menos alguns meses.

Isso é enganar Miguel ainda assim? Algumas pessoas podem dizer que sim, mas também não posso garantir que ele não possa ter sentido atração por outra garota nesse meio-tempo. O importante aqui é também não acabar com a amizade dele com Enzo. Não posso quebrar o vínculo de confiança que existe entre os dois.

Miguel dá um abraço em Enzo e pega minha mochila para carregar. Ele me abraça de lado, enquanto andamos, e pergunta se foi bom, se estou bem. Ele está sendo bastante atencioso e acho que sentiu saudade enquanto estive longe. Talvez ele só estivesse precisando de um tempo para perceber quanto eu faço falta em sua vida... e de repente o mesmo se aplicará a mim.

Almoçamos em uma pizzaria, e eu e Enzo contamos a Miguel como foi nossa viagem. Omitimos, claro, as partes delicadas, inclusive que tivemos de dividir um quarto de casal (para ele ficamos num hostel com outras três ou quatro pessoas), e Miguel fica feliz que eu tenha me divertido e que Enzo tenha me levado para ter essas experiências. Ele entende que estou ali para viajar e descobrir o país em que estou vivendo, e admite que essa não é sua prioridade agora.

Pergunto a ele como as coisas estão indo na loja, e Miguel parece orgulhoso de si mesmo com os avanços que deram. Ele nos informa que as portas da loja se abrirão oficialmente na próxima segunda-feira, e que depois disso sua carga de estresse deve diminuir um pouco. Fico contente com a notícia e vejo o fato como um bom sinal para nós.

Mais tarde, Miguel quer comemorar meu retorno de viagem. Enzo faz planos com seus amigos e sinto que ele está nos dando espaço. Posso ver que ele não parece feliz como normalmente é e sinto uma dor no coração por eu ser, possivelmente, o motivo de sua tristeza. Cada vez que Miguel me rouba um beijo, noto que o rosto de Enzo vira sutilmente para outra direção.

Enzo se abriu muito ontem à noite, penetrei sua armadura e ambos admitimos que há algo forte acontecendo entre nós. Não é justo que eu volte para os braços de Miguel depois dessa viagem que se mostrou tão reveladora, mas não vejo mais como posso guiar essa situação. Talvez ele espere que, num ponto como o que chegamos, eu venha a terminar com Miguel, para o bem de nós três, mas não é isso que estou fazendo, pelo menos por enquanto. Ele tem de entender que não posso simplesmente tomar uma decisão precipitada. Mas, bom, talvez ele não espere que nos afastemos. Talvez apenas doa nos ver juntos.

À noite, eu e Miguel assistimos a um filme de comédia no sofá, comendo pipoca e *cup noodles,* e acaba sendo bem divertido. Ele me provoca várias vezes, me puxa de um lado a outro e faz cócegas que me deixam desesperada e sem ar de tanto rir. É um tempo realmente bom e sinto com se estivéssemos de volta aos nossos primeiros meses de namoro. A diferença é que minha mente já não é a mesma daquela época.

Por mais que eu venha a brincar com Miguel, a beijar e segurar seu pescoço, não consigo afastar do pensamento a imagem de Enzo, seus olhos tristes, a luta interna estampada em sua expressão. Estou completamente dividida, não sei o que fazer, e até Miguel nota que estou um pouco ausente. Apenas digo que estou preocupada em achar um novo emprego.

Ele começa a tentar me seduzir já no sofá, ao fim do filme, e vejo aquele momento como uma oportunidade de testar como andam os meus sentimentos. Tento esquecer tudo o que aconteceu nos dias anteriores e me focar apenas em Miguel, colocando em minha mente lembranças de quando nos conhecemos e quão louca por ele eu estava.

Ele me dá um beijo quente e eu o prolongo o máximo que posso, atenta às sensações no meu estômago.

Nada.

Continuo a beijá-lo e até puxo-o mais para perto, querendo provar a mim mesma que estou enganada, que devo colocar os meus desejos bem ali, *nele*.

Miguel faz uso de sua pegada e de suas táticas de sedução para me colocar no instante inteiramente. Nem vamos para a cama, permanecemos no sofá mesmo, e ele diz que devo ficar tranquila que Enzo *não* vai voltar agora.

Eu me entrego e, pela primeira vez, sinto prazer de verdade. Fico contente de enfim poder ser sincera quando ele me pergunta como foi para mim.

Enquanto me preparo para dormir, Miguel me abraça por trás com a escova de dente em sua boca, vejo o reflexo de nós dois no espelho e percebo que não estamos totalmente arruinados. Ainda há esperança.

O que apenas torna tudo ainda mais difícil.

16

PLAYLIST:
Bright Lights – Thirty Seconds to Mars
I Still Haven't Found What I'm Looking For – U2

Mari e eu estamos mais distantes do que nunca. Os quilômetros que nos separam nunca foram tão sentidos quanto agora que algumas milhas psicológicas foram adicionadas à distância geográfica. Não posso mais ser totalmente sincera com ela. É impossível sem que eu a magoe. E eu prefiro não contar com sua amizade e seus conselhos a correr o risco de machucá-la.

Conversamos por vídeo um dia depois que cheguei de Veneza. Durante o tempo que estive lá, não lhe contei o que estava fazendo, simplesmente me ausentei e ignorei suas mensagens. Ela ficou meio chateada por não lhe responder, mas expliquei que foi porque eu estava sem conexão na viagem.

Não posso mentir para ela e omitir que fui a Veneza, então conto, mas faço parecer que tínhamos mais dois amigos de Enzo conosco. A última coisa que preciso é de que Mari sinta ciúme de mim por Enzo ter me levado nessa viagem não programada.

Ela continua insistindo em que eu lhe diga como é a família dele. Como estou sozinha em casa, falo, mas não dou muitos detalhes e me resumo a dizer que tudo é bom.

— Eu tenho uma coisa pra te contar — diz ela quando acabo meus relatos. Não me parece empolgada, apenas em dúvida, então fico alerta. — Sabe o Thiago, irmão da Cláudia? — Balanço a cabeça em sinal positivo. Mari olha para suas unhas grandes e bonitas. — Ele me convidou pra sair... mas não sei se vou aceitar.

Pela primeira vez, vejo uma luz no fim do túnel. Se Mari se interessar por outra pessoa, vai esquecer Enzo e seu romance impossível. Agarro a chance de estimulá-la.

— Ah, Mari, aceita! Ele é bacana.

Mari fica pensativa. Seus cabelos estão mais curtos e ela parece ter ganhado um pouquinho de peso. Espero que esteja levando sua vida normalmente. Às vezes tenho medo de ela ficar meio depressiva pela minha ausência, afinal, éramos unha e carne, e também pela sua ideia de um relacionamento com Enzo, o qual claramente não vai para a frente. Eu nunca devia tê-la estimulado. Mesmo que fosse um outro europeu, esse tipo de namoro dificilmente dá certo.

— Não sei, Bi... Outra coisa que queria te perguntar é se Enzo está saindo com alguém, porque ele não tem mais conversado muito comigo, meio que sumiu recentemente.

Sinto um frio na barriga, mas tento agir da maneira mais natural possível na webcam.

— Ah... hum, não sei. Acho que ele só está focado na volta às aulas. Não sei dizer se há uma garota necessariamente na jogada... — minto.

Ela parece um pouco aliviada.

— Então você não viu ninguém? Nenhuma garota apareceu aí no apartamento...?

— Não — digo, fingindo indiferença. Abaixo os olhos para que ela não possa lê-los.

— Bom, isso não exclui a possibilidade. Como você é minha amiga, ele talvez não queira te mostrar outra candidata.

Sinto-me tão desumana quanto uma ameba. Se ela está certa de que ele teria a consideração de não me mostrar uma outra garota só porque sou amiga dela, imagina se soubesse que *eu* seria a tal? Não dá nem para descrever os monstros que somos. Ainda bem que estou disposta a ignorar meus sentimentos. Ao menos, até o ano que vem...

Não, Bianca, sempre. Não importa se é agora ou depois, Mari e Miguel irão odiá-la por isso do mesmo jeito.

Engulo em seco e tento mudar de assunto:

— E então, você tem passado lá em casa? Minha mãe disse que te chamou pra jantar na sexta.

Mari sorri, desligando-se de seus dilemas.

— Sim, e até servi de babá para os meninos. Seus pais saíram depois, naquela noite.

Mais uma fagulha de esperança desperta em meu coração, desta vez referente a meus pais.

— Ah, então eles tiveram um encontro?! — fico toda empolgada.

— Hum... não acho que tenha sido isso. Quer dizer, eles foram ao casamento de uns amigos, mas não sei se a situação entre os dois melhorou.

— O que você notou enquanto estava lá? — pergunto, ajeitando as minhas costas nos travesseiros da cama.

— Bom... a verdade? — Ela estreita os olhos, e sei que alguma decepção vem aí. — Notei que eles pareciam bem forçados, sabe? Tipo, como se quisessem dar uma trégua aquela noite, mas no fundo não muito pacientes um com o outro, entende?

Espremo os meus lábios com os dedos, refletindo. Mari me pergunta:

— Você já conversou com sua mãe sobre o que ela pensa? Quer dizer, se ela estaria ou não disposta a esquecer de vez a traição? Acho que, se partisse dela, poderia funcionar... mas essa é apenas a minha opinião.

Nunca conversei com mamãe sobre isso. Sei que doeu muito quando ela descobriu, ela ficou bem mal. Tudo o que fiz foi lhe dar carinho e apoio. Eu soube que, por mais que eu odiasse a situação, ela tinha o direito de querer seguir a vida sem meu pai. Eu não podia pedir a ela que o perdoasse. Eu não sabia como eu me sentiria em sua pele.

Sinto um peso enorme nos ombros quando me dou conta de que estive, várias vezes nos últimos meses, perto de cometer o mesmo erro que meu pai. Tudo bem que não tenho uma família com Miguel, mas tenho certeza de que isso não diminuiria a decepção dele. E penso se de algum modo minha mãe poderia ter evitado o que aconteceu. Será que algo disso foi culpa dela? Será que ela não deu atenção suficiente ao meu pai? Será que não foi a mulher que ele precisava naquele momento? Ou será que o amor simplesmente acabou e depois do incidente eles finalmente perceberam que forçavam algo que já havia desvanecido fazia algum tempo?

Não quero me meter nos problemas dos meus pais, especialmente porque já tenho os meus próprios com os quais tenho de lidar. Eles são adultos e vão descobrir qual é a melhor solução. Não me sinto no direito de tomar a posição de nenhum dos dois também. Estou confusa demais sobre o que acreditar a respeito de relacionamentos.

Mari já está falando sobre seu gato e não estou prestando atenção. Jimmy, o felino, sobe no colo dela e põe seu focinho no monitor, e é quando finalmente desperto dos meus devaneios, rindo daquela criaturinha engraçada.

Antes de nos despedirmos, sinto vontade de dizer "espera!" e contar a ela sobre meus sentimentos confusos. Quero falar sobre minha relação com Miguel, quero revelar o que sinto por Enzo e quero pedir a ela que por favor não se magoe. Acho que ela entenderia que há muitas coisas neste mundo que não podemos controlar.

Mas não consigo. Tenho medo demais. Apenas dou um sorriso e um aceno, e clico no botão vermelho. O quarto cai no silêncio e eu desabo na cama, recuperando forças para prosseguir com a minha vida cheia de segredos.

⋆⋆⋆

Já estamos no fim de outubro. Fora as aulas, estou trabalhando como babá em duas casas de família. Em uma cuido de Giacomo, filho de um ano e meio de Clarissa, uma jovem mãe solteira, meio louquinha, mas é boa gente. Ela costuma sair com as amigas nos fins de semana e às vezes tem reuniões de trabalho durante o dia. Clarissa é autônoma e isso ajuda muito, e, como o seu filho ainda é muito pequeno, ela não quer colocá-lo numa creche.

Confesso que sinto receio em me responsabilizar por uma criança tão novinha, ainda mais depois do episódio no meu emprego anterior, mas em nome do dinheiro (e da experiência), aceito o desafio. Fico pensando em quando eu for mãe. É bom saber uma coisa ou outra, aprender a trocar fralda (juro que é uma técnica a ser aperfeiçoada a cada dia) e já ir acostumando minha coluna, minha voz e meus ouvidos (oh, Deus, a choradeira...).

A outra casa onde trabalho é de uma família de sobrenome Riggio. Lucio e Regina, os pais de Bruno e Ines, são pessoas bem corretas e sofisticadas. Gosto deles, contudo sempre me comporto de modo formal e exemplar na presença do casal (ao contrário do modo como me comporto com Clarissa, que me deixa até experimentar seus esmaltes e roubar os iogurtes do bebê).

Eles têm bons empregos e a casa está sempre impecável. Pelo menos o meu trabalho lá não é tão difícil, uma vez que são crianças bem-educadas e estou acostumada com a faixa etária (quatro e seis anos), por causa dos meus irmãos.

Com esses dois empregos temporários, mais as aulas e as visitas esporádicas à ala infantil do hospital, fico bastante atarefada na maior parte do tempo. Isso me ajuda muito, pois assim não sinto tanta falta de Miguel e de Enzo.

Ambos também andam bastante ocupados, Miguel com a loja (cuja inauguração foi o sucesso esperado, mas isso não significa que o trabalho acabou), e Enzo com suas aulas na universidade, as aulas particulares de violão e guitarra e suas outras atividades pessoais das quais não tenho conhecimento.

Eu e Enzo estamos mesmo bem distantes, se comparado ao que era antes. Só o vejo em casa à noite praticamente, ou pela manhã, apenas por algumas horas, nem isso, e as únicas vezes que fazemos algo juntos é quando vamos para a academia. Escolhi ir com ele sempre lá pelas nove da noite, dia sim, dia não, pois assim posso pegar uma carona em seu carro. Miguel às vezes vai conosco, às vezes escolhe seu próprio horário, mas enquanto estou malhando fico em meu próprio mundo, então não sei se dá para chamar de interação.

Levando pelo ponto de vista da falta de tempo juntos, é difícil dizer como está minha relação com Miguel. Dormimos e acordamos na mesma cama, nos beijamos e às vezes fazemos amor, mas nada mudou muito. Quer dizer, acho que ficou um pouquinho melhor desde aquela noite depois de minha chegada de Veneza, mas sei que levará um tempo até que voltemos a ser como no princípio, e, para ser sincera, o meu namoro não tem sido a prioridade no momento.

Estou mais preocupada em descobrir o que fazer no futuro. Praticamente todo dia abro o computador para procurar cursos e faculdades. Leio sobre todas as carreiras que me interessam remotamente e desenvolvi certa curiosidade por Comunicação Social, Relações Internacionais e Psicologia. Leio sobre as três e mais algumas outras, por horas seguidas — salários, campo de atuação, melhores universidades para cursar etc.

Outra coisa que mudou foi que agora, enfim, uma amizade nasceu entre mim e Catherine, a francesa do meu curso de italiano. Vou à casa dela de vez em quando e com frequência saímos para um café ou para fazer compras.

Ela é uma garota tímida, acho que umas três vezes mais do que eu, e muito inteligente (provavelmente umas quatro vezes mais também). Fala baixo e seus comentários são poucos, porém recheados de leveza e sabedoria. Gosto de ter por companhia uma pessoa assim. Sinto que posso confiar nela e que ambas nos beneficiaremos com essa amizade.

Ainda não conversei com ela sobre os meus conflitos emocionais, pois, como estou num período de "intervalo", acredito não ser necessário por ora.

No sábado da terceira semana de outubro, estou sentada no sofá lendo um livro quando a campainha toca. Enzo sai de seu quarto e atende, deixando Marco, Filippo e Bernardo entrarem, e eles me cumprimentam com entusiasmo. Vejo que aquela será uma "noite dos rapazes".

— Desculpa, Bianca, esqueci de te avisar que eles estavam vindo — diz ele quando a falação em italiano toma a sala.

— Não se preocupa, não tem problema. O que vão fazer hoje?

— Jogar.

— Posso ficar aqui na sala para ver? — Fecho o meu livro e olho para eles.

Ele parece surpreso com o meu pedido, como se esperasse que eu estivesse à procura de tranquilidade.

— Claro, pode ficar se quiser.

— O que vão jogar?

— *Zombie World*.

— Ah, legal. Posso jogar também? — Sorrio para ele. Estou mesmo procurando uma escapatória do tédio. Estive sozinha em casa desde que acordei. Este é um dos meus raros dias completamente à toa.

Enzo dá risada e se volta para os amigos. Entendo o que ele diz em italiano: que eu quero participar. Os outros sorriem a isso também e respondem "sim, por que não?". Enzo garante que sou boa e que costumo vencer quando jogamos juntos. Já tem um tempo que não fazemos isso, desde que as férias dele acabaram, mas é claro que ele se lembraria. Foram bons tempos.

Acomodamo-nos no sofá do jeito que dá, eu numa ponta, Bernardo na outra e Enzo no meio. Marco e Filippo ocupam os pufes. Temos apenas dois controles e uma TV, então as duplas se formam (fico com Enzo) e assistimos aos outros até chegar a nossa vez de jogar. Todos conversam muito e alto, e eu consigo participar pouco, pois sinto que não tenho oportunidade, além de não entender cem por cento de tudo que falam.

Quando chega a minha vez de jogar, no entanto, me divirto bastante e me solto mais com os meninos. Sigo as dicas deles de para onde ir ou como atirar e me saio até bem. Ao fim, batem palmas e me incentivam. Acho que é interessante para eles terem uma garota no grupo.

Miguel chega após um tempo. Abre a porta, surpreso com a bagunça na sala, e cumprimenta os meninos de longe. Ele está de bom humor e me surpreende ao apenas deixar suas coisas na mesa da cozinha e voltar para a sala com uma lata de cerveja.

Ele abre espaço entre mim e Enzo, espremendo todos nós no sofá, e passa o braço sobre o encosto, na outra mão a latinha, da qual bebe com frequência. Ele começa a conversar com os outros e assiste com atenção à matança de zumbis. Então olha para mim, como se estivesse pela primeira vez raciocinando que eu não pertenço àquele cenário, e franze o rosto.

— O que você está fazendo aqui, aliás?

— Jogando, ué — respondo com simplicidade. Ele olha para Enzo.

— Ela consegue apertar os botões? — pergunta ele com um riso, e eu o empurro indignada, fazendo Enzo e Bernardo serem empurrados também.

— Ops, desculpa! — digo para os dois.

— Claro que ela consegue — responde Enzo. — Bianca é uma matadora de zumbis de primeira. — Os outros riem e concordam, e Miguel me olha com os beiços esticados, como que em rendição, então se inclina e beija o lado de minha cabeça.

Miguel oferece cerveja aos outros e Filippo e Bernardo aceitam. Ele vai à geladeira buscar e ficamos ali jogando e socializando por mais uns vinte minutos. Ao *game over* de Marco e Filippo, Miguel se levanta e anuncia que vai sair com Luciano e alguns outros para um bar e pergunta quem quer ir.

Marco recusa, pois tem compromisso com a namorada, e os demais acabam aceitando o convite. Enquanto desligam o videogame e conversam sobre onde podem se encontrar, Miguel para na porta do quarto, onde estou, colocando o meu livro de volta na estante, e pergunta:

— Você vai?

Olho-o de volta.

— Não sei. — A verdade é que não estou com vontade de ir, mas sinto que preciso acompanhá-lo. Tanto porque não saímos muito juntos, quanto porque quero observar o seu comportamento. Estou cansada de vê-lo chegar tão tarde, e se eu for pelo menos posso evitar isso.

— Você não precisa ir apenas porque estou indo, Bia — diz ele com certa seriedade.

Olho-o fixamente nos olhos. Ele não quer que eu vá, consigo ver.

— Vou me arrumar. — E dou as costas.

Miguel segura meu braço e me gira para ele.

— Você devia arranjar amigas com quem sair, Bia. Não é saudável que só tenha os meus amigos e os de Enzo com quem se relacionar.

Fico ligeiramente irritada com aquilo.

— Eu tenho amigas, Miguel, para sua informação. Clarissa já me convidou várias vezes para sair com ela e suas colegas, e tenho Catherine também, mas ela não gosta de balada.

— Clarissa não é a mãe do menino que você cuida? — indaga ele, como se fosse patético eu querer sair com minha patroa. — E quem cuidaria do filho dela?

Sinto vontade de bater na testa com a palma da minha mão.

— Existem outras babás no mundo, Miguel. Aliás, estou até pensando em aceitar da próxima vez. Ela tem vinte e cinco anos, se quer saber.

Se ele acha que de dezenove, quase vinte, para vinte cinco anos é muita diferença, eu não acho. Sair com pessoas mais velhas é uma escolha muito sábia para quem quer deixar os ares da adolescência para trás.

Ele não me dá tempo de falar isso, apenas me solta e sai para a sala, dizendo:

— Bom, você é quem sabe. Mas se for fica pronta logo, não vamos ficar esperando.

17

PLAYLIST:

Trying Not to Love You – Nickelback

It Is What It Is – Lifehouse

Já estou tão pouco disposta a ir com eles que suspiro ao me olhar no espelho. Fecho a porta e tiro o meu suéter, abro o armário e escolho um par de calças pretas e uma blusa branca. Não estou no clima de me arrumar muito. Quando falta apenas calçar os sapatos, saio para a cozinha para beber um copo de água, na desculpa de ver o que está acontecendo por lá, e Enzo aparece para jogar um pacote vazio de salgadinho no lixo.

— Você vai com a gente? — pergunta. Aceno que sim com a cabeça. Ele chega mais perto e me olha diretamente. Pela primeira vez em semanas sinto aquela energia de seus olhos congelar o meu corpo. — Você vai porque realmente quer ou porque acha que tem de ir? — E ergue ligeiramente uma sobrancelha. Ele consegue me ler.

Sorrio com timidez, me entregando. Não preciso dizer nada, e ele completa:

— O que você preferiria fazer agora? — Penso por um segundo. Enzo continua: — Não se preocupa, vou manter um olho no Miguel. Prometo que não o deixarei voltar muito tarde. Não vou beber, estarei dirigindo.

Assinto, bastante aliviada, e digo:

— Obrigada. Acho que vou ligar para a Catherine e ver o que ela está fazendo. Só não queria ficar sozinha aqui esta noite...

— Então liga para ela agora. Se não conseguir marcar, você vem com a gente. Prometo que te trago em casa a hora que você quiser.

Concordo com a ideia e pego meu celular para fazer a ligação.

— Oi, Catherine, tudo bem? — digo quando ela atende. Falamos em italiano geralmente, para treinarmos, mas quando fica difícil mudamos para o inglês. — Espero que não seja muito tarde... — São dez da noite, mas não sei realmente os hábitos dela. Sua colega de apartamento é uma italiana bem tranquila, que quase nunca está em casa, e aposto que saiu esta noite também.

Catherine me responde que não é tarde não, eu posso falar, e pergunto se ela estaria disposta a fazer alguma coisa agora nem que fosse só ficar à toa em seu apartamento, assistindo a uma série ou algo assim.

— Sim, claro, seria legal. Você pode vir pra cá? — pergunta ela. — Comprei a temporada nova de *Simultaneous*, podemos assistir se você quiser. — *Simultaneous* é a nossa série de "mulherzinha" favorita, e a perspectiva me anima.

Digo a ela que estarei a caminho em dez minutos e desligo, satisfeita. Enzo ainda está ali, limpando a bagunça na cozinha, e quando me viro para ele há um leve sorriso em seu rosto.

— Vou lá ficar com a Catherine, então — digo. — Mas volto mais tarde.

— Quer carona?

— Não, obrigada, não precisa, vou andando. Ela mora a duas quadras daqui.

Essa é outra parte legal da minha nova amizade. Somos quase vizinhas. Enzo passa por mim e aperta o meu ombro.

— Te vejo mais tarde, então. Divirta-se, Bianca.

— Você também.

Quando ele está saindo da cozinha, vira o pescoço brevemente para trás e diz:

— Foi legal jogar com você hoje. Bateu uma saudade dos velhos tempos. — E sorri de lábios fechados.

Assim que ele deixa o ambiente, encosto-me na pia, meu peito um pouco alterado. Percebo que os sentimentos adormecidos nunca me deixaram e agora ameaçam escapar.

Ele tem razão ao dizer "velhos tempos", uma vez que parece que foi há muitos meses que tudo de intenso aconteceu. O tempo em que éramos melhores amigos.

Sinto muita falta também. Agora é como se os meus dias não tivessem a mesma alegria, eu já não sorrisse com tanta frequência e nem tivesse tanta expectativa pelas coisas. Todas as minhas atividades de certa forma se complementavam com ele.

Eu lia um livro ou assistia a um filme e precisava comentar com Enzo. Eu tinha um dever de casa ou aprendia alguma coisa nova no curso e gostava de compartilhar isso com ele, pedir a sua ajuda na pronúncia e ouvir suas explicações sobre o significado, em vez de friamente pesquisar na internet. Eu fazia um novo trajeto com a bicicleta e lhe recomendava a rota para uma próxima vez. Ao voltar do hospital, sempre ficava cheia de alegria ao lhe passar notícias das crianças, e quando íamos juntos era melhor ainda.

Percebo que sinto muita falta dele ativamente em meu cotidiano. Tudo se tornou mais solitário com o seu distanciamento, e é como se eu estivesse somente levando meus dias na Itália e não os aproveitasse mais.

Enfim saio da cozinha, chamo Miguel num canto e o informo de minha decisão para aquela noite. Ele concorda, imagino que aliviado de provar que tenho meus próprios amigos e que posso desgrudar dele um pouco (como se não ficássemos tempo suficiente separados), e me dá um rápido beijo na testa antes de se dirigir à porta, onde os outros já o estão esperando.

Para não deixar dúvida de que estou falando a verdade (vai que ele pensa que inventei que vou sair com uma amiga só para mostrar alguma coisa a ele), calço os meus sapatos e pego a bolsa e a jaqueta no quarto rapidamente, ainda em tempo de descer com todo o grupo. Eles seguem para o carro de Enzo e para o de Bernardo, e eu caminho rua abaixo.

Está consideravelmente mais frio do que nos meses anteriores e eu aperto a jaqueta contra a minha pele. Logo estou em frente ao prédio onde mora Catherine, interfono e entro. Ela está lá, de moletom, esperando-me com um sorriso, seus cabelos loiros presos de qualquer jeito no alto da cabeça. Sinto-me um pouco mais arrumada do que devo, mas explico a ela que foi porque eu pensava que iria para um bar com os meninos.

Eu tinha razão sobre Paola, a colega de apartamento, não estar lá. Mesmo assim ficamos no quarto de Catherine, onde ela tem uma TV só dela.

Depois de alguns minutos de conversa fiada, colocamos o DVD de *Simultaneous* para rodar. Ela se levanta para ir à cozinha colocar um saco de pipoca no micro-ondas e acabamos fazendo uma maratona da série, comendo, rindo de nossos comentários e nos empolgando com a trama. Esse é o tipo de produção de que Enzo não ia gostar. É uma série para a parte não nerd da Bianca, para ser vista assim, numa festa do pijama entre amigas ou então num dia de TPM e de gordice, sozinha em casa.

Penso em Mari e percebo que queria que ela estivesse aqui conosco. Acho que faríamos um ótimo trio. Gostaria de poder unir a minha vida do Brasil à vida que estabeleci em Roma. Trazer meus pais, meus irmãos e Mari para cá.

Quando olho para o relógio, são duas da manhã e já estamos cansadas de Alex e Jenny, os protagonistas da série. Vou ao banheiro e ao voltar digo que tenho de ir para casa antes que fique ainda mais tarde. Catherine também parece com sono, então desligamos a TV e pego a minha bolsa. Combinamos de nos vermos de novo em breve, talvez para ir ao cinema ou a um museu. Enquanto percorro o corredor do térreo, olho meu celular em busca de notificação de mensagem, mas não há nada.

Caminho depressa para afugentar o frio e noto o quanto a rua está silenciosa, exceto por alguns sons de latas e garrafas rolando no chão a alguma distância de mim. Não gosto disso. Aperto o passo e olho para trás. Provavelmente alguns mendigos estão dormindo na região.

Logo viro a esquina, feliz por já estar a um terço do caminho de casa, mas então meu coração acelera ao ouvir vozes. Estão me chamando.

— Ei, garota! Garota, você!

Espio com medo, andando mais rápido que nunca, e vejo dois homens caminhando atrás de mim. Eles usam gorros e parecem bêbados. Provavelmente são desabrigados. Aperto a bolsa contra o meu corpo e sigo, ignorando-os.

Eles continuam me chamando, falando coisas que mal consigo compreender, e riem alto. Um deles enfim decide correr atrás de mim. Assim que percebo a situação, o pânico me toma e também disparo a correr. Ele é mais rápido que eu, e, totalmente sem ar, sou parada quando ele agarra meu braço. Meus joelhos cedem e quase caio, mas me ponho de pé como consigo. Ele segura o meu braço com força e reclamo.

— Aaai!

— Não faz barulho! — alerta o sujeito. — Se fizer, vai ser pior.

Estou tremendo tanto que os meus dentes batem. Não sei o que fazer. Não tem ninguém mais na rua e não sei lutar. Estou basicamente nas mãos do destino.

— Por favor... — imploro, minha voz soando como um sussurro.

Ele tira a bolsa de baixo do meu braço com agressividade e eu não impeço.

— Por favor, leva e me deixa ir! — imploro.

O homem é nojento, tem um rosto repulsivo, além de um cheiro terrível. Não consigo acreditar que isso está acontecendo. Começo a chorar. Ele chega perto do meu ouvido e sussurra. Gemo de pavor.

— Acredito que vou encontrar algo bom aqui, por isso vou te deixar ir — diz ele, referindo-se à minha bolsa.

Acho que ele consegue ver que é de marca famosa. Enfim juntei dinheiro para uma *Marc Jacobs* — a única bolsa cara que eu sempre quis — e acho que ele consegue ver que o produto tem algum valor.

Assim que ele me libera do aperto, corro o mais rápido que posso no mesmo instante, tropeçando, mas não parando. Acabo caindo na calçada alguns metros depois e olho com desespero para trás. Os dois se foram, correram para longe com o item roubado.

Respiro tão pesado que acho que meu peito vai se romper. Chorando sonoramente, fico sentada ali onde caí por alguns segundos. Sinto um volume no meu bolso e percebo com surpresa e alívio que coloquei o meu celular ali, portanto ainda o tenho.

Fico de pé e, ainda completamente trêmula, mexo em minha agenda, olhando ao redor, paranoica, esperando outra pessoa me abordar. Mas agora estou numa rua maior e mais iluminada, vejo carros passando e até pessoas que não parecem suspeitas. Clico no nome de Miguel e ponho o celular no ouvido. Fico andando em círculos ali, embaixo do poste, onde tem luz, até descobrir o que fazer.

Ele finalmente atende.

— Miguel? — digo com desespero aparente. Está muito ruidoso do outro lado da linha.

— Bianca? — Quem me responde não é Miguel. É Enzo.

Não consigo segurar o choro e minha voz sai bizarra.

— E-e-enzo, cadê o Miguel?

— O que houve, Bianca? — Ele quer saber, ignorando a minha pergunta. Ele tem razão. Não importa por que atendeu o telefone do Miguel.

Disparo:

— Acabei de ser assaltada, eles levaram a minha bolsa, estou muito assustada, não sei pra onde ir... — Minha voz treme e está tão entrecortada que não sei se ele pode entender.

— Calma, Bianca, escuta, me diz onde você está. — Ouço que ele está preocupado e que se moveu para um lugar com menos barulho. Posso escutá-lo melhor agora. — Me diz onde você está que vou te buscar agora mesmo.

— Acabei de sair da Catherine, estou a um quarteirão de casa. Não sei se vou pro apartamento. E se eles me seguirem?

— Eles estão aí ainda?

— Não, acho que foram embora, mas não sei...

— Eu não estou longe. Me diz o nome da rua em que você está que eu passo aí em dois minutos. — Pelo chacoalhar de sua voz sei que ele está em movimento, talvez até a caminho do carro já.

Tento ler a placa na parede e digo a ele. Enzo fala que vai ficar na linha comigo enquanto dirige. Ele vai, então, me atualizando ("Estou saindo da vaga... Já entrei na segunda rua... Ops, sinal vermelho, não me importo... Ainda está aí, Bianca? Escuta, me conta como foi sua noite com a Catherine. Você conseguiu se divertir?").

Ele está tentando tirar o meu foco do que aconteceu para fazer o pânico me deixar. Aos poucos me acalmo, sabendo que ele está bem ali comigo e que posso lhe relatar ao sinal de qualquer coisa estranha.

Ele enfim diz que chegou à rua e está tentando me encontrar. Avisto o seu carro primeiro e então aceno. Enzo estaciona à minha frente, rente à calçada, e entro depressa no banco do passageiro, tão aliviada quanto nunca.

Respiro fundo algumas vezes. Ele não parte ainda, deixa o motor ligado, tranca as portas e olha para mim. Tenho certeza de que o meu rosto apresenta uma palidez de morte e que meu rímel escorreu para baixo dos olhos. Ainda estou tremendo um pouco, mas talvez seja apenas de frio agora.

— Tudo bem? Está melhor? — pergunta ele, muitos vincos de preocupação em sua testa. Ele está segurando meu ombro e, enquanto assinto com a cabeça, Enzo puxa-me para um abraço.

Sinto uma onda gigante de calor sair de seus braços e me aquecer. É como mágica. Agora sei que nada mais pode me atingir.

— Vamos para casa, sim? Lá você me conta o que aconteceu.

Ele dá a partida e em um minuto chegamos ao apartamento. Assim que me encontro no quentinho de nossa sala, desabo no sofá e Enzo me traz um copo d'água. Ele se senta ao meu lado enquanto bebo e tento contar o que houve.

— Eles não fizeram nada com você? — pergunta Enzo ao fim das minhas explicações.

— Não. Ele só me segurou com muita força. No meu braço. E sussurrou no meu ouvido, o que foi horrível — falo, ainda expressando repulsa. Ficamos nos olhando por algum tempo, ele avaliando meu estado emocional.

— Que bom que pelo menos ele não fez nada... Você sabe.

Ele não precisa dizer, sei muito bem, e foi isso que mais temi em todos aqueles terríveis minutos até ele chegar com o carro. Eu era uma vítima muito vulnerável. Se aqueles homens quisessem, poderiam ter abusado de mim com facilidade.

— E que sorte que coloquei meu celular no bolso! — acrescento. — Bem quando eu estava saindo do apartamento da Catherine.

Enzo concorda, e, vendo quanto estou fragilizada, abraça-me de lado e me inclina em seu ombro. Feliz pelo carinho, fecho os meus olhos enquanto estou deitada ali.

— E a sua bolsa? Foi aquela que você juntou dinheiro para comprar? — pergunta. Levanto a cabeça para olhá-lo.

— Sim, a *Marc Jacobs*.

— Poxa, que pena... — lamenta ele. Enzo sabe o valor de marcas famosas. — E o que tinha dentro dela? Sua carteira?

— Sim, com vinte euros. Segunda-feira vou ao banco pedir um novo cartão. Na verdade, devo ligar agora para que eles cancelem esse.

— Seu passaporte, identidade...?

— Passaporte não, deixei em casa. Identidade não tem problema, posso tirar uma nova facilmente.

— Nada mais de valor?

Faço que não com a cabeça. Ele parece finalmente aliviado por saber que os danos não foram mais graves. Imagino que ele tenha dirigido desse bar onde ele estava até onde eu me encontrava morrendo de medo de eu ter sido vítima de uma violência ainda maior, algo que não queremos sequer imaginar.

— Bom, liga para o banco, então. Mas, se quiser, eu faço isso.

— Não se preocupa, pode deixar. — Sorrio com gratidão. Tenho meu celular comigo e o considero meu salvador. Se eu não tivesse podido ligar para Enzo (bom, na verdade, Miguel), eu nem poderia entrar em casa, pois a chave estava na bolsa.

— Ah, e me diz uma coisa... por que Miguel não atendeu o próprio celular? — pergunto.

Enzo fica sem resposta por uns dois segundos. Está me escondendo algo?

— Ele só estava no banheiro. Vi que era você, pensei que poderia estar precisando de algo. Ainda bem que peguei o aparelho.

Não sei se acredito totalmente, mas não me importo. Essa não é a hora de me preocupar com Miguel. Sua namorada precisando, e ele nem é a pessoa a ir resgatá-la. Com certeza está bêbado e aproveitando a noite como se não houvesse amanhã.

— Vou preparar um chá, você quer? — Enzo se levanta.

— Sim, obrigada. Enquanto isso, vou ligar para a administradora do cartão de crédito. — E pego meu celular para realizar a chamada.

Resolvo o problema rapidamente e Enzo volta com o chá pronto para nós dois. Ele liga a TV e ficamos sentados procurando algo interessante para ver, apenas para fingir que estamos prestando atenção.

Enfim um programa capta parte de nossa atenção e até damos risada de sua superficialidade. Começo a me sentir muito cansada e me deito no sofá.

— Quero ficar aqui essa noite de novo — digo.

Enzo se levanta, desliga a TV, vai ao meu quarto e volta trazendo minha roupa de cama. Ele me cobre, põe o travesseiro sob minha cabeça, como no dia que eu estava bêbada, e se agacha para me dar boa-noite.

— Muito obrigada novamente por me salvar.

Ele coloca a mão na minha cabeça. Sinto meu corpo formigar.

— Eu fiquei com medo de verdade quando você ligou — diz ele, baixo. Sinto como se ele estivesse me sussurrando um segredo. — Seria a pior coisa, você se machucar.

Fecho os olhos para sentir os arrepios que me tomam.

— E Miguel nem sabe o que aconteceu...

— Eu não sei o que Miguel está fazendo da vida, Bianca — diz Enzo com sinceridade, talvez acidental. Abro os olhos. Ele respira fundo. — Mas acredito que ele vai acabar amadurecendo.

— Eu também — digo, e percebo que é verdade, que talvez o que me prenda a Miguel seja sempre essa esperança de que amanhã vai ser melhor, a expectativa de que ele enfim consiga enxergar o que eu já enxergo.

— Boa noite, Bianca. Saiba que estou aqui para o que você precisar.

Sorrio suavemente, e com os olhos já fechados sinto os lábios dele em minha testa.

— *Buonanotte*, Enzo.

— Vou deixar a porta aberta, o.k.?

E, quando ele se vai, eu volto no tempo. Estamos de volta onde tudo começou.

18

♪ PLAYLIST:
Right Now – Rihanna
Levels (Radio Edit) – Avicii

O Halloween se aproxima. Luciano, é claro, tem uma festa em vista e Miguel fica todo empolgado para ir.

Concordo em fazer parte do grupo que irá à festa e nossa caravana para o tal evento fica em doze: eu, Miguel, Enzo, Luciano, Catherine, Bernardo, Marco e a namorada, Filippo, Enrico, Lara e Giuseppe, estes dois últimos pouco conheço. Compramos o que ainda falta de nossas fantasias na véspera e, no sábado, dia 31, estamos prontos para sair em três carros.

O local escolhido para a festa é grande e foi muito bem decorado. Entramos, sorrindo com a atmosfera de terror criada, e nos misturamos aos monstros e às criaturas mais doces.

Estou vestida de vampira. Pouco original, eu sei, mas Miguel me garante que fiquei bem bonita e assustadora. Ele incorporou o Zorro, e Catherine, fofa como é, uma princesa medieval. Enzo, para o desespero dos meus olhos e do meu coração, está lindo em sua fantasia de pirata. Afinal, para uma nerd como eu não há nada mais sexy que um ladrão dos mares tão cheiroso, de camisa entreaberta e botas de couro, carregando uma espada de plástico.

Os amigos de Enzo combinaram de se vestir de zumbis, em homenagem ao jogo preferido deles, exceto Marco, que, para agradar à namorada, combinou sua fantasia com a dela. Erika é uma artista. As pinturas de caveiras mexicanas nos rostos dos dois estão muito legais.

Lara e Giuseppe não são namorados, descubro, depois de quase meio ano acreditando que eram um casal. Ela é uma garota bonita, alta, de cabelos bem escuros e longos, e olhos azuis. Sua fantasia de policial é bastante provocante e tenho de admitir que quase pareço uma retardada em comparação a ela. Giuseppe é um cara pequeno e sua roupa de presidiário é um tanto simples.

Começo a conversar com os dois para poder conhecê-los melhor e logo Miguel se junta a nós. Giuseppe é engraçado, e entendo que Miguel goste de passar o tempo com ele, pois imagino que deva ser bom ter sempre ao lado alguém assim, alto-astral.

Depois de pegarmos nossas bebidas, fazemos uma grande roda na pista de dança, mas acaba na formação de grupos menores. Fico sempre perto de Catherine, mesmo quando Miguel some, pois prometi a ela que lhe daria atenção, e essa seria sua condição para ir conosco. Ela não conhece muito o resto do pessoal e, como não bebe, fica facilmente deslocada no ambiente. Mas ela parece estar se divertindo. Danço empolgada em sua frente, para estimulá-la, e nós duas rimos.

Enzo e seus amigos se juntam a nós. Eles estão excepcionalmente divertidos esta noite, brincando com seus personagens. Os "zumbis" fingem atacar um ao outro e até dão mordidas no ar perto de algumas garotas que passam. Enzo saca sua espada toda hora também e até a coloca em meu pescoço em uma ameaça de mentirinha para eu ir buscar uma bebida para ele. No fim, é ele quem vai e, quando volta e me entrega o coquetel, sorrio com meus afiados dentes postiços.

— Como foi que você colocou eles aí? Parecem reais, mesmo. — Ele chega perto para analisar os meus dentes.

— São de verdade, querido, nunca soube? — digo de brincadeira e toco em um dos caninos. — Comprei na internet. Você coloca uma colinha especial... — explico.

A música fica cada vez melhor e danço como não fazia há muito tempo. Desta vez, no entanto, estou tomando o cuidado de não exagerar na bebida, e pelo menos agora tenho mais testemunhas ao redor para me impedir de atacar Enzo.

Isso, no entanto, não me impede de atacá-lo de brincadeira, como a vampira que me propus a ser. Para disfarçar o meu desejo de ficar perto de seu pescoço, finjo morder Catherine também.

Enquanto estou "mordendo" Enzo, ele faz teatro, colocando a mão em cima da suposta ferida e fingindo dor. Nós rimos e o pessoal ao redor também, mas internamente estou sentindo borboletas em meu estômago e o cheiro do seu perfume me embriaga de desejo.

Miguel aparece depois de um tempo. Está segurando uma garrafa de cerveja e pula apoiando-se em meus ombros, em seguida chega mais perto e me dá um beijo na nuca. Mas isso é tudo. Logo ele some de novo e eu fico ali com a sensação de que estou sendo deixada de lado. Ao menos faço a minha própria noite ao lado dos meus amigos. Estou feliz de unir Catherine a Enzo e aos amigos dele. Também gostei de conhecer a Erika, a namorada de Marco, uma vez que ela pode acabar sendo uma nova integrante de meu círculo feminino de amizades, caso Catherine não queira ou não possa se juntar a nós uma outra vez.

Acho uma pena que Miguel não seja tão próximo dos melhores amigos de Enzo. Por mais que Luciano, Giuseppe e Lara sejam o.k., prefiro andar com os caras da Ozmose, a banda de Enzo, Marco, Filippo, Bernardo e Enrico.

Sim, descobri que Ozmose é como eles se intitulam. Enfim, parece que voltaram a se encontrar com certa frequência para praticarem seu som, e acho isso o máximo, apesar de ainda não ter tido a oportunidade de ouvi-los tocar.

Segundo Enzo, a escolha do nome se dá devido a eles estudarem na época na mesma escola de música e um dia conversaram sobre montar um grupo por mera diversão. Como um foi aceitando o convite após o outro, porque o amigo também se juntou, eles brincam que a banda acabou surgindo por osmose.

Mais adiante, para o meio da noite, sinto que estou meio bêbada — não ao ponto de vomitar, graças a Deus —, então dou um tempo na ingestão de álcool. Olho ao redor e noto que Luciano está conversando com Giuseppe, mas nem Miguel nem Lara estão por perto. Comento o fato com Catherine, sentindo-me um pouco tensa.

— Calma, não significa que saíram juntos — diz ela.

Mas a minha cabeça começa a dar voltas em muitas direções. Deixo Catherine e saio andando pelo salão. Algo me diz que preciso achá-los. Não parece certo que ele me largue aqui e que, coincidentemente, Lara tenha sumido no mesmo instante.

Lara é muito atraente e só agora percebo que não faço ideia de com que frequência ele a vê. Sei que não tenho direito de sentir ciúme se Miguel já teve qualquer pensamento desejoso por ela, considerando o meu próprio lado pecaminoso, mas continuo pensando que as coisas não estão em seus devidos lugares.

Uma mão segura meu braço por trás. Viro-me assustada.

É Enzo.

— O que você está fazendo? — pergunta ele. Encaro seu rosto. Ele está usando barba agora, não muita, mas combina com sua fantasia. Parece mais irresistível que nunca... *mas não, Bianca, não é hora de pensar nisso.*

— Tenho que achar o Miguel — respondo. — E Lara.

Enzo pisca e sua boca se entreabre, como se ele não soubesse o que dizer. Vejo que deixei claro o meu ponto e me viro para continuar andando. Ele me prende ali.

— Bianca. — Viro-me. Ele me olha nos olhos maquiados de preto. — Volta para a nossa roda. Miguel só foi ao banheiro.

— É nisso que você acredita para não pensar que ele teria a audácia de fazer algo indevido enquanto estou aqui?

Enzo leva um segundo para responder.

— Sim.

Sugiro que vou dizer mais alguma coisa, mas as palavras me faltam. Fecho a boca de volta e fico encarando-o.

— Por favor, volta agora. — Ele transfere o aperto suave do meu braço para minha mão. Olho para baixo, para onde nossos dedos se tocam.

Enzo vê que venceu e me leva de volta. Solta a minha mão, no entanto, antes de nos aproximarmos do pessoal.

— Viu? Aí está ele! — exclama Enzo com o que identifico como alívio, ao vermos Miguel chegando por trás sozinho.

— Onde está Lara? — pergunto imediatamente.

Miguel se aproxima de mim e Enzo se afasta. Seu tom de voz é relaxado e ele fala sem hesitação:

— Um idiota num esbarrão derramou bebida nela. Ela foi telefonar e está indo para casa.

— Ah... — diz o grupo, quase em uníssono.

Miguel logo continua uma conversa com Luciano e se sacode com a batida. Volto para o lado de Catherine, sem desviar o olhar de Miguel, tentando interpretar quem, afinal, é o meu namorado.

A noite vai murchando e as pessoas aos poucos vão indo embora. Saio de lá com Miguel e Catherine, no carro de Enzo. Miguel vai no banco de trás comigo e fica me tocando toda hora, em busca de atenção, mas não estou no clima, então o afasto, e viro o rosto toda vez que ele chega perto com seu bafo de bebida e cigarro. Outra coisa que odeio é isso, que toda vez que sai ele tem de fumar.

Deixamos Catherine na porta do prédio dela e esperamos até que esteja segura lá dentro. Então paramos no apartamento e, ao entrarmos, Miguel cai direto na cama. Enquanto fico pela cozinha para tomar água e beliscar um lanche, espero Enzo falar alguma coisa, mas ele está muito calado e, ao dizer que está cansado, some para seu quarto com um boa-noite.

Quando me deito, Miguel já está apagado, as peças de sua fantasia espalhadas de qualquer jeito pelo chão. Cubro-me até o pescoço, virada de lado. A sensação que me toma antes de eu cair no sono é a de que estou dormindo com um estranho.

19

PLAYLIST:
Birthday – Destiny's Child
Warrior // Worrier – Outlandish

Meu aniversário é no dia 3 de novembro. Na noite anterior, Miguel, após chegar cansado do trabalho, diz que quer me dar um dia especial amanhã e que, portanto, não devo fazer planos, só pensar em algo bonito para usar. Deixando-o dominar a situação, abraço-o, dou-lhe um beijo e durmo aguardando ansiosamente o meu dia.

Para minha surpresa, ele está ao meu lado quando acordo.

— Miguel, você esqueceu o alarme? — Sacudo-o. Sonolento, ele se vira para mim com um sorriso.

— Bom dia, Bia. Não vou trabalhar hoje, tenho tudo sob controle. — Surpresa, deixo-o me beijar, ouvindo seu: "Parabéns, amor!".

Ele pula da cama e corre para o armário. Vejo que tira um embrulho de lá e me oferece.

— Mas presente, já? Achei que você ia esperar até mais tarde.

— Não, melhor te dar agora, assim você já pode usar.

Feliz, recebo o pacote macio embrulhado com papel estampado com corações e, antes de abri-lo, puxo o cartão de dentro do envelope que está ali, preso sob o laço. O cartão tem o desenho de um bolo de aniversário colorido e na parte de dentro a letra garranchada de Miguel preenche o espaço em branco.

Feliz aniversário, Bia! Te amo muito, mesmo que às vezes não possa parecer. Me desculpe se tenho estado ausente. Às vezes percebo o quanto sou idiota e o quanto eu devo apreciar o presente mais especial que já ganhei na minha vida.

Seja feliz, meu anjo.
Beijos,
Miguel

Aquilo me toca muito e sinto uma coisa muito estranha em meu peito. Não sei se é alívio, se é arrependimento, se é esperança... não sei, apenas estou confusa e sensível, e abraço-o com meus olhos já quase cheios de lágrimas. Não quero chorar agora, portanto me controlo e esboço um sorriso no rosto.

Ele se senta à beira da cama aparentando expectativa e eu rasgo o embrulho. Ao ver o que tem dentro, rio com alegria.

— Ah! Não acredito... — E estendo a bolsa *Marc Jacobs* igual à que me roubaram para que nós dois possamos dar uma olhada. Ele ri também, dando de ombros, e eu o abraço novamente. — Obrigada, Miguel.

Vamos para a cozinha e Enzo está lá, sentado à mesa, comendo cereal. Ele se levanta para me abraçar e desejar feliz aniversário, em seguida diz que está atrasado para a aula, mas que mais tarde a gente se vê. Assim que ele sai, eu e Miguel aprontamos nosso café da manhã.

Depois da carta e do presente, achei que continuaríamos conversando, mas ele imerge em seu celular e fica ausente mentalmente por vários minutos, até que eu chamo sua atenção. Ele desliga a tela e põe o aparelho de lado.

— Desculpa, Bia, hoje o dia é seu.

E a gente começa a fazer planos para onde ir. Decidimos caminhar num parque chamado Villa Borghese, supermaravilhoso, e a tarde acaba sendo mesmo mágica.

Aquele é um dia desconexo. Um Miguel que me desacostumei a ver, uma Bianca que não se sentia bem assim em sua presença há muito tempo. Percebo que ainda somos amigos, e durante o resto da tarde ali fico tentando descobrir se ainda somos amantes também.

Miguel segura a minha mão e age como o meu namorado, mas o buraco é mais fundo. Quero saber o que sinto, se ainda é como se eu estivesse no primeiro encontro de minha vida, se sinto uma vontade louca de beijá-lo e tocá-lo, ou mesmo, e mais importante, se ainda sinto aquela identificação interior que me fez, na época em que nos conhecemos, ter certeza de que eu estava apaixonada por ele.

Porque a gente pode até ficar atraída pelo físico, mas, quando se descobre que o que há por dentro daquela pessoa é o que você quer, a sensação é completamente diferente.

E, enquanto estamos no parque, eu fico esperando por esse momento. Rio com ele de seus comentários bobos, aprecio a vista maravilhosa em sua companhia e me sinto à vontade como se fôssemos um casal de velhinhos que está junto há décadas, até que identifico o problema. Sou nova demais para me sentir como uma velhinha.

Então é por isso que as pessoas se separam? Mas também não é por isso, por essa sensação de comodidade e amizade, que continuam juntas por toda a vida?

Acontece que eu estou julgando apenas por este momento. Mas não seria preciso julgar pelo contexto todo, de todos os outros dias?

Depois desta tarde realmente agradável, voltamos para casa, tomamos um banho juntos e relaxamos. Miguel diz que vai me levar para jantar, e após alguns instantes de preguiça lendo as mensagens de aniversário que recebi — de Mari, mamãe, papai, Matheus e Breno, Catherine e os amigos de Enzo —, vou para o quarto me arrumar.

Escolho um vestido de estampa discreta, prendo o cabelo em um rabo de cavalo alto e coloco os meus saltos favoritos. Miguel aprova a minha escolha. Pego minha bolsa "recém-recuperada" e saímos. Vamos andando, pois não é muito longe, e a caminhada também faz parte do romantismo da situação.

O restaurante é bem elegante e charmoso, e percebo que isso vai custar uma nota antes mesmo de abrir o cardápio, mas, ao sussurrar isso, Miguel me diz para relaxar e nós seguimos observando as opções de pratos. Ele escolhe um linguini com frutos do mar e eu fico no meu amado ravióli. Miguel pede um bom vinho também.

Pudemos provar que ambos os pratos são deliciosos, tal como o vinho, e passamos a refeição aproveitando a atmosfera do local para resgatarmos nosso lado romântico. Sinto que devíamos ter feito isso muitas vezes antes nos meses que passamos na Itália — quero dizer, não necessariamente naquele restaurante, ou acabaríamos falidos, mas em lugares como em um parque, ter essa pegada de namoro e tal — assim quem sabe teríamos mantido nossa chama acesa.

Agora sinto como se nosso romance estivesse como a vela sobre a nossa mesa — fraca e oscilante, e às vezes se apaga, mas então vem o garçom com a boa comida e acende a chama outra vez. O vento suave lá dentro, porém, insiste em apagá-la de novo e de novo.

— Bia, eu queria te perguntar isso há algum tempo... Acho que agora posso, né?

— O quê? — Coloco minha taça na mesa e espero, receosa. *Por favor, não me peça em casamento...*

— Eu quero saber o que você sente a respeito de nós dois. Agora, depois de tudo o que vivemos aqui na Itália.

Engulo em seco. Isso é quase tão ruim quanto a outra pergunta. Não quero mentir...

Ele continua:

— Quero dizer, já notei que às vezes você parece meio infeliz ou então decepcionada comigo... portanto quero saber a verdade. O que você sente?

Respiro fundo disfarçadamente e bebo mais um gole do vinho. Tento parecer natural e descolada em minha resposta.

— Ah, eu acho que tivemos, sim, períodos meio difíceis, nos quais ficamos distantes, mas eu gosto quando você age como hoje. — Isso o faz sorrir levemente.

Por que não está dizendo a verdade, Bianca? Por que não é sincera? Essa é a sua chance de talvez pedir um tempo a Miguel, ou pedir que ele mude, ou pedir que ele seja totalmente honesto com você...

Ah, é, e contar que estou secretamente apaixonada por Enzo, seu melhor amigo, e sair do apartamento sem ter para onde ir, e cortar todas as chances de Miguel continuar agindo como hoje para melhorar a nossa relação desgastada.

Não mesmo, Bianca.

— Eu sei que venho trabalhando demais... mas você sabe que é para o meu futuro, certo? Para o *nosso* futuro. Se queremos ficar juntos, tenho de trabalhar na empresa do meu pai, fazer algum dinheiro para que possamos ter uma boa vida no Brasil. Foi o que sempre desejamos, certo?

Engulo uma porção grande demais do ravióli e o sinto descer rasgando pela garganta. Tomo mais vinho e tento pensar numa resposta para dar.

Não posso mais esperar para dizer a ele o que decidi.

— Miguel... eu andei pensando muito, recentemente. Sobre os meus estudos, você sabe, o meu futuro.

— Hum. — Ele me estimula.

— E, bom, cheguei à conclusão de que quero fazer faculdade na Itália. Aqui em Roma.

Os olhos dele se esbugalham e Miguel quase cospe sua água.

— *O quê?* — diz ele, com mais entonação do que o esperado para um lugar tão chique. O garçom perto de nós nos olha estranho. Mantenho meu foco em Miguel.

— Sim, acho que seria o melhor para mim. Eles têm ótimos programas nas áreas em que me interessei, agora só preciso decidir certinho o curso.

— Você já falou com seus pais sobre isso? — Miguel me faz uma das perguntas menos importantes que tem na cabeça naquele instante, imagino. Acho que ele está em choque.

— Ainda não. Quero saber mais primeiro, para ter bons argumentos, e decidir o curso. Então eu contarei. Mas não acho que eu venha a mudar de ideia.

Ele se inclina sobre a mesa e me olha nos olhos. Vejo que está extremamente confuso e decepcionado.

— Nem por mim, Bia?! Achei que você queria ficar lá em BH!

— Não gosto de BH, Miguel! — desabafo. — Quer dizer, não é tão ruim, mas estou descobrindo um mundo aqui, não estou pronta para voltar ainda. Preciso de mais tempo. Não posso simplesmente parar o que comecei. Seria horrível.

— Horrível? — Ele analisa o significado da palavra.

Eu e Miguel estamos em sintonias muito diferentes. Vejo que ele gosta de Roma, mas estar ali não é, de forma alguma, sua prioridade, a cidade é apenas um meio para chegar a um fim. Ele está cem por cento focado em fazer seu trabalho e voltar para o lugar a que pertence.

Eu não. Estou totalmente imersa na minha experiência. Quero falar a língua fluentemente, aprender mais sobre os costumes e a história. Quero me sentir italiana como tenho o direito de ser (viu, papai?). Quero visitar cada cidade bonita que possa me proporcionar alguma experiência nova e também quero ter mais tempo com as pessoas que conheci. Por mais que eu sinta falta dos meus pais, dos meus irmãos e de Mari, é aqui que eu quero estar.

Tento explicar um pouco disso para Miguel, mas vejo que ele não entende, principalmente agora que tudo o que sua cabeça parece só conseguir processar é que estou interrompendo nossos planos. Estou interrompendo o "nós".

— Se vai acabar em dezembro, Bia, qual é o ponto? — Ele abre os braços. — Qual é o sentido de tudo isso?!

E sei o que ele quer dizer. Olho para o meu prato vazio.

— O ponto, Miguel, é aproveitarmos os momentos, os dias, as horas. Sermos felizes!

Ele balança a cabeça para os lados vagarosamente. Sinto que preciso fazer alguma coisa. Estico a minha mão e seguro a dele.

— Miguel, olha para mim. — Relutante, ele obedece. — Não acabou, tudo bem? Não quero que a gente leve essa conversa como um ultimato para os nossos destinos, porque não é. Ainda temos dois meses, e eu não fiz nada de definitivo a respeito da universidade. São apenas planos, vontades.

Ele concorda com a cabeça, sério como nunca, e tira a minha mão da sua.

— Então ainda existe a chance de você mudar de ideia?

— Sim — digo, mesmo tendo falado há pouco que a minha decisão estava tomada. Com Miguel não se pode ser radical. É preciso que ele pense estar controlando a situação nem que seja um pouco. Ele sempre foi capaz de me convencer em tudo. Quero que pense que desta vez vai conseguir também. Apenas não quero complicações agora, quando está tão perto de partirmos. Não estou preparada para o dia das decisões e despedidas. Não ainda.

— Tudo bem. Eu compreendo que você esteja em dúvida. Vamos com calma, né? Que tal pedirmos uma sobremesa agora, hum?

O garçom não se aproximou, pois viu que estávamos em uma discussão, mas agora, observando que o clima se acalmou e Miguel fez um breve sinal, ele vem, trazendo o cardápio de sobremesas.

Escolhemos um *brownie* com sorvete de babar toda a saliva do organismo, e eu pareço viver meu instante de êxtase. Quando já não temos espaço algum para comida, pagamos a conta e deixamos o local. Agradeço a Miguel pela melhor refeição que tive na Itália e, talvez, em toda a vida.

Ao voltarmos para casa, já são dez da noite e Miguel vai direto para a cama. Amanhã ele precisa acordar muito cedo e não tem escapatória. Enzo ainda está acordado e o vejo na cozinha tomando leite quando passo pela sala.

— Bianca — chama ele, sussurrando para mim. Ando até a cozinha e paro na soleira.

— Oi, Enzo.

— Miguel já foi dormir?

— Sim.

Ele coloca o copo na pia e chega mais perto.

— Queria te dar a minha surpresa de aniversário.

Ergo as sobrancelhas.

— Você tem uma surpresa para mim?

— Tenho, sim. — Ele dá seu sorriso de lábios fechados e estende um dedo para que eu espere. Passa por mim e entra em seu quarto rapidamente. Quando volta, tem uma sacola de presente na mão e a estende a mim.

Sem graça, sorrindo e sentindo um frio no estômago, desfaço o grampo. Olho dentro e retiro o objeto pesado da proteção. Quando vejo o que é, dou um sorriso largo.

— Você lembra disso!

— Claro que lembro.

Aprecio a câmera antiga, 35 mm, possivelmente dos anos sessenta ou setenta, manual e com filme, do jeitinho que contei a ele que gostaria na minha primeira segunda-feira em Roma, enquanto andávamos para a minha escola de italiano.

— Como conseguiu achar? — pergunto, girando a câmera em minha mão para vê-la de todos os ângulos. Há certamente tanta história contida ali...

— Quando se é *mainstream* o bastante dá para achar tudo o que se deseja. — Ele sacode o celular, brincando com a expressão que usei aquele dia, o que me faz rir e lhe dar um soco de leve em seu braço.

Sento-me no sofá para analisar o meu presente. Olho para Enzo, risonha, ao dizer:

— Só não sei como usar!

Enzo faz cara de absurdo.

— Bom, sorte sua que eu li no meu aparelho popular de alta tecnologia...

— Tá, chega — brinco de volta.

Enzo se senta do meu lado, pega a câmera da minha mão e começa a me mostrar para que os botões servem e como se deve colocar o filme — ah, claro que ele comprou o filme.

Ele também tem dúvida quanto aos recursos manuais e diz que eu devo ler sobre a abertura e a velocidade do obturador para entender, mas que por enquanto basta colocá-la no automático e ler o medidor de luzinha vermelha e já posso começar a fotografar. O foco é fácil de manusear e logo me sinto pronta.

Viro a lente para o rosto de Enzo e bato a minha primeira foto após as de teste. Enzo me pede para tentar tirar uma e eu faço uma careta quando ele foca em mim. Então decido guardar as próximas para coisas realmente interessantes, uma vez que são apenas vinte e quatro poses.

— Sei que pode parecer estúpido nos dias de hoje querer apenas vinte e quatro fotos, quando posso ter milhares em meu cartão de memória, mas você não concorda que dessa forma, com menos, a gente presta mais atenção no que está guardando, usa mais tempo e energia num objeto ou cena, e isso preserva muito mais a memória do que apertar um botão vinte vezes a cada minuto?

Enzo balança a cabeça em concordância.

— Sim, sei o que você quer dizer. Sem mencionar que dessa maneira as pessoas usam mais tempo *observando* os objetos do que fotografando-os sem pensar.

Isso é verdade. Lembro que li um estudo que falava sobre como as pessoas que não fotografavam coisas num museu se lembravam muito mais de como elas eram do que aquelas que apontavam câmeras diretamente para os objetos, sem nem gastar tempo para uma olhada apropriada. Desse hábito de nossa sociedade eu realmente não gosto.

— Muito obrigada, Enzo, é um presente maravilhoso — expresso o que sinto, olhando em seu rosto calmo e sorridente. Estamos muito perto e, se não houvesse Miguel neste mundo, eu o beijaria agora mesmo.

— De nada, Bianca. Fico feliz que você tenha gostado. Espero que tenha tido um bom aniversário.

— Tive, sim — respondo brevemente.

Ele se levanta.

— Vou dormir. Tenho aula amanhã, infelizmente...

Damos o nosso típico boa-noite, ele em português, eu em italiano, e vou dormir com o meu coração sorridente, pesado e eternamente confuso.

20

PLAYLIST:

Take Me to Church – Hozier

Quello che Non Ti Ho Detto – Modà

Não preciso do padre Domenico agora. Eu tenho Catherine. Ela é igualmente sensata e, bem, não usa uma batina nem fez voto de castidade.

Assim, não vejo por que me impedir de botar para fora tudo o que está me inundando e fazendo o meu interior mais desastroso que o Titanic.

No dia seguinte ao meu aniversário, combino com Catherine de nos encontrarmos na Fontana di Trevi, assim ela pode me dar os parabéns, entregar o presentinho que comprou para mim e a gente pode conversar sobre as minhas aflições.

Depois que recebo o fofíssimo brinco que ela achou a minha cara e o coloco nas orelhas, a gente se senta com nossos sorvetes em um banco perto da fonte e Catherine me faz falar. Estou tensa por compartilhar isso pela primeira vez com alguém que pode me olhar nos olhos e que não vai me mandar rezar duzentas Ave-Marias. Respiro fundo e solto:

— Então, Catherine, o meu problema vem acontecendo há algum tempo, mas a cada dia que passa fica mais difícil guardar para mim. Não sei o que fazer.

— Você pode contar comigo. Vou guardar seu segredo — ela me tranquiliza. Assinto com a cabeça e tomo mais um pouco do sorvete. Meus impulsos de gordice estão bastante aflorados nestes últimos dias.

— Bom, é o seguinte... — Fecho os olhos para soltar a bomba. — Estou apaixonada pelo Enzo.

Catherine não consegue se impedir de abrir a boca em surpresa. Ela a cobre com a mão em seguida, rindo por estar se lambuzando com o sorvete.

— Desculpa, Bianca, mas o quê? É sério? — Ela arregala seus olhos azuis.

Confirmo com pesar, e Catherine volta à seriedade.

— O pior é que tem muito tempo que isso vem acontecendo, mas eu não queria admitir a mim mesma que isso era sério...

E conto a ela tudo de importante que se passou entre mim e Enzo. Ao chegar à parte de Veneza, ela está de olhos arregalados e boquiaberta de novo, e ri contida do quão longe nós dois quase chegamos.

— Meu Deus, Bianca...

— Eu sei — respondo envergonhada, e estamos rindo de leve porque não sei mais como reagir.

— Mas eu te entendo. Quer dizer, consigo perceber que seu relacionamento com o Miguel está desabando, e não acho que é por causa do Enzo.

— Sim, você viu como ele é? No Halloween...

— Você não deve tirar conclusões precipitadas sobre aquilo — interrompe-me ela gentilmente —, mas eu entendo como deve ser ruim quando seu namorado só trabalha e mal te dá atenção e, quando vocês saem juntos, ele também quase não fica com você.

— Então você acha que é perdoável que eu comece a gostar do Enzo?

— Sim, claro, eu não julgaria. — Ela termina seu sorvete e lança o potinho na lixeira próxima. — Principalmente porque Enzo parece ser um cara muito fofo e responsável.

— Ele é. — *E talentoso, lindo, generoso, inteligente, atencioso, divertido...*

— E se ele também sente a mesma coisa, o sentimento acaba ficando maior. A vontade de fazer alguma coisa a respeito, sabe?

Concordo plenamente. A culpa, porém, continua moendo meu estômago. Digo a Catherine como me sinto.

— Sim, imagino que você deva estar supermal, porque, querendo ou não, Miguel é seu namorado, vocês têm uma história e você não ia querer desapontá-lo.

— Ainda mais com o próprio amigo dele! — completo. Minha mão acaba lambuzada pelo sorvete, mas ignoro. Continuo ali, imóvel, olhando para o chão. — E, para piorar ainda mais a situação, a minha melhor amiga do Brasil também está envolvida. Sabe a Mari, de quem já te falei?

Catherine acena com a cabeça que sim. Conto então como estimulei Mari a gostar de Enzo, bem no comecinho, quando eu ainda estava bem com Miguel, e que agora Mari não para de planejar um futuro que duvido que os dois terão.

— Ai, Bianca, que situação... — diz Catherine. — Sabe, mas acho que se você precisa terminar com o Miguel, deveria fazer isso logo. Não é saudável continuarem juntos quando as coisas não são mais do mesmo jeito.

— O problema é que continuo pensando, não importa quanto eu tenha certeza de que quero o Enzo, que ainda há conserto para mim e Miguel. Que, ao voltarmos para o Brasil, pode ser diferente, e que eu poderia simplesmente ir embora e esquecer Enzo.

— Você acha que seria o melhor para você? — questiona-me ela.

— Talvez não. Mas seria para o bem de todos. — Ela me olha à espera do que ainda tenho a dizer, então completo: — Bom, Miguel e Mari.

— E Enzo?

— Enzo quer o que eu quero, tenho certeza, mas não acho que ele se permitiria concretizar. Ele se sentiria culpado. Como eu.

— Eu fui embora da França há seis meses por causa do meu ex. — Catherine compartilha comigo um pouco de sua história amorosa pela primeira vez. Ajeito-me no assento, mais ereta para ouvi-la. — Estávamos em um relacionamento autodestrutivo e insistíamos nele, mesmo sabendo que estava tudo errado. Eu queria terminar, todos os dias, mas, quando eu pensava em como ele se sentiria quando o fizesse, isso me partia o coração e eu não conseguia. Ele era louco por mim, mas isso não significa que fazia o melhor para o nosso relacionamento. Eu já não era feliz.

Catherine me olha com seus olhos claros refletindo emoções. Gosto desse momento. Ambas precisávamos disso, de alguém de confiança com quem pudéssemos conversar. Há um limite para as pessoas poderem guardar suas vidas recônditas em si mesmas.

— Um dia, então, acordei com coragem e decidi não pensar, apenas fazer. Arrumei as minhas coisas e disse que estava indo embora.

Ele tentou me deter, mas eu fui firme, e foi a coisa mais difícil do mundo, mas consegui. Saí do apartamento que dividíamos, totalmente devastada, mas vitoriosa. Eu sabia que naquele dia estava dando um passo para a minha felicidade.

— E aí você veio para Roma? — Sorrio, tentando adivinhar.

— Sim. Fazia dias que eu vinha procurando opções de países na Europa em que pudesse morar e me adaptar, e a Itália me pareceu uma boa escolha. Eu não queria voltar para a casa dos meus pais, e aprender uma nova língua seria pelo menos um começo para eu ter algo que pudesse fazer.

Sei que ela trabalha num supermercado também e sinto mais do que nunca nossa identificação. Catherine, como eu, ainda não decidiu o que quer estudar, e nesse meio-tempo está se ocupando em busca do momento em que se sentirá pronta para fazer a sua escolha e plantar raízes em algum lugar.

— Você tem falado com ele? — pergunto. — O seu ex? Sabe como ele está?

Ele dá de ombros levemente.

— Mandei algumas mensagens, e ele me diz que está indo bem. Acho que enfim percebeu que o melhor para nós foi mesmo a separação. Mas o começo foi difícil. Ele ficava me ligando o tempo todo e não pude dizer onde estava, com medo de ele vir atrás de mim.

Que tenso. Fico imaginando se Miguel seria esse tipo de cara ou se simplesmente me odiaria para sempre.

— Eu tive uma conversa com Miguel sobre ficar aqui e fazer faculdade.

E falo sobre todo o meu dia de ontem, desde o passeio, do parque ao restaurante e, por fim, a surpresa de Enzo antes de dormir. Puxo minha câmera "nova" da bolsa "nova" e mostro a Catherine, toda feliz. Tiro um retrato dela, que sairia bonita na foto mesmo que estivesse acabando de acordar, e depois miro na fonte e pego o cenário todo. Coloco a câmera no pescoço em seguida e volto minha atenção para a conversa.

— Ontem ambos foram muito bons para mim, e isso só me confundiu ainda mais. Como eu queria que fosse possível ter dois namorados... — digo, rindo. Catherine sorri.

— Mas, Bianca, acho que você ainda não percebeu que *está* namorando os dois. Por tudo o que me contou, não há como chamar o que você tem com Enzo de outra coisa.

Meu coração dispara e olho atônita para ela, que dá um risinho.

— Não venha me dizer que é amizade só porque não teve beijo ou algo mais. Você sabe que namoros não são feitos só disso...

Parando para pensar, ela pode estar certa... *Oh meu Deus, sou uma criatura poligâmica!* Quantas Ave-Marias eu teria de rezar agora para salvar minha alma do fogo do inferno?!

— Acho que preciso de um desejo. — Levanto-me. Tiro uma moeda da minha carteira (dois euros, para a oferta não ser tão humilde) e saio andando para mais perto da fonte. Catherine me acompanha, ela é só diversão.

Fico de costas para a fonte assim que alcanço a borda e fecho os olhos para me concentrar.

Por favor, Fontana di Trevi, estimada Rainha das Fontes dos Desejos, com seus anjos e deuses de pedra — ou o que quer que sejam — conceda-me sabedoria para uma escolha importante. Miguel ou Enzo? Quem devo amar? Se você pode mesmo realizar as centenas de desejos de amor eterno que recebe diariamente, me dê aquele que eu mereço e liberte o outro. Muito obrigada. Atenciosamente, Bianca Marino, uma fã.

E jogo a moeda. Ao ouvir o barulhinho de que ela afundou, viro-me de frente e Catherine está ali, sorrindo para mim. Ela me oferece um abraço e aceito, grata.

Muito mais aliviada de que quando chegamos, saio andando dali com minha amiga, sentindo os efeitos do desafogo. Mal nos movemos alguns passos, no entanto, meu celular toca. É Miguel.

— Alô. — Atendo, curiosa sobre o que ele quer. Miguel normalmente não me liga em seu horário de trabalho.

— Bianca — ele soa aflito. Paraliso, receosa.

— Oi, Miguel, estou aqui, fala. — Mas ele atropela minhas palavras.

— Bianca, o Enzo. Ele está no hospital. — Mal Miguel começa e meu coração dispara dolorosamente. Ai, não...

— Miguel...?!

— Enzo estava de bicicleta e um carro o atingiu. Ele foi levado na ambulância, inconsciente.

Não consigo ouvir mais. Abaixo a minha mão e o celular escorrega dela. Sento-me no banco mais próximo, tão fraca que acho que vou desmaiar.

Catherine pega o meu celular e fala com Miguel. Ela faz sons de "hum... sim... o.k. Estamos indo". E desliga.

Olho para ela, totalmente sem ar, o planeta desabando sobre minha cabeça.

— Bianca, vamos ao hospital agora. Fica calma, ele vai ficar bem.

Mas sei que ela não sabe do que está falando. Respiro fundo algumas vezes, tremendo tanto quanto no dia em que fui assaltada, e, com a ajuda dela, me levanto e saímos dali para pegar o ônibus para o hospital.

Não, Fontana di Trevi, não era assim que eu esperava escolher.

21

♪ PLAYLIST:
La Notte – Arisa
Start of Something Good – Daughtry

Durante todo o trajeto no ônibus, Catherine procura me acalmar, mas é impossível. Não posso ficar tranquila até vê-lo respirando, olhar seu rosto inteiro e um médico me dizer que ele vai ficar bem. Não adianta só sobreviver. E se ele tiver algum trauma? Se quebrou alguma coisa seriamente? E se nunca mais andar?

Todas essas questões me apavoram, e, quando enfim chegamos ao andar em que Enzo está e vejo Miguel na sala de espera, corro para ele e me afundo em seu peito. Estou chorando e não posso controlar. Não me importo que ele veja quanto me preocupo com Enzo.

Miguel está bastante abalado também e me convida a sentar enquanto nos explica a situação. Ele diz que Enzo está internado na emergência agora, sendo avaliado, e que logo poderemos vê-lo. Diz que ele saiu da cena inconsciente, mas isso não significa que teve algum trauma sério. Pergunto como ele soube, e Miguel conta que pegaram o celular de Enzo após o acidente e, ao olhar nas chamadas mais recentes, ligaram para o seu número.

Mordendo as unhas e controlando meus tremores, espero ali com os dois, Miguel mantendo o braço sobre mim, e digo a Catherine que ela não precisa ficar, mas ela decide permanecer mais um pouco, até termos mais notícias.

Passa-se um tempo muito longo até que finalmente um médico vem falar conosco. Ao ver a figura dele se encaminhando para nós, sinto um medo que jamais senti na vida. Ele pode muito bem nos dar uma notícia que nem em mil anos eu estava esperando receber.

— Enzo encontra-se estável agora, descansando, e só saberemos se houve algum dano grave depois dos exames a que ele vai se submeter. Vocês podem entrar para vê-lo, mas apenas dois por vez.

Levanto-me e Miguel também. Catherine diz que vai para casa e eu devo lhe passar as notícias. Dou um abraço nela e entro no quarto de Enzo com Miguel. Ele vai na frente e eu vou devagar atrás, meu coração explodindo no peito de aflição.

Miguel o olha com tristeza, um Enzo adormecido que nunca vi, parecendo tão frágil e desamparado que mal o reconheço. Uma lágrima escorre em meu rosto.

Miguel olha para mim e decide me deixar sozinha com ele. Não sei o que ele está pensando, mas não me importo. Não me importo se Miguel pode ver quanto perder Enzo me apavora.

Antes de sair, Miguel me dá uma espremida no ombro e eu fico a sós com Enzo. Chego perto da cama e olho de cima para seu rosto de anjo. Ele está muito pálido e tem alguns arranhões na face. Pelo menos não parece que caiu de uma forma que danificasse o seu nariz ou o resto de suas feições.

Estico a mão e toco levemente sua bochecha. Não sei se me permitem isso, mas não ligo. Também me inclino e beijo sua testa, deixando uma lágrima minha pingar sobre ele. Limpo-a gentilmente. Então me sento no banco ao lado da cama e seguro a mão dele. Enzo está coberto, portanto não posso ver o resto de seu corpo. Não sei se ele ficou com hematomas ou se algo está muito prejudicado, apenas espero que não.

Não consigo acreditar que ele estava bem ontem à noite e nada nos indicaria que isso ia acontecer. Lembro de seu rosto sorridente me mostrando as funções da câmera e uma tristeza imensa faz um nó em minha garganta.

Não dá para contar que ele está mal, assim como não dá para saber se vai sobreviver. Enzo está dopado e os médicos só dizem o que querem. Não posso suportar pensar que essa seria nossa última vez juntos. Se for, arrependo-me profundamente por não ter lhe beijado e feito carícias em seu rosto, e por ter repreendido meu desejo de dormir com ele como gostaria. Se Enzo morrer, eu preferiria ter aproveitado tudo isso e não ter me importado com o que Miguel pensaria. Acho que até Miguel me perdoaria. Ou talvez não. Mas neste instante eu não me importo.

Ponho a mão em seu peito e fico feliz de senti-lo subir e descer enquanto ele respira. Quero dizer em voz alta o que penso, mas tenho medo de que Miguel esteja ali na porta ouvindo tudo. A dor que sinto ao pensamento de perdê-lo não consegue negar. O que está acontecendo em meu corpo e que começou há meses também não. Eu amo Enzo. Não há uma saída, não há outra palavra. Não estou apenas apaixonada. *Eu o amo.*

Ponho uma mão em meu próprio peito, tentando conter meu coração, e sinto mais lágrimas descendo sem que eu as tenha chamado. Não há remédio para mim, e não vai haver remédio para a minha tristeza se Enzo não se levantar da cama e for embora para casa.

O médico retorna ao quarto e me diz que tenho de sair. Dou mais uma apertadinha na mão de Enzo, dizendo silenciosamente "eu te amo", e o deixo.

Passo o resto da tarde e a noite na sala de espera, distraindo-me com meu celular e esperando notícias. Miguel vai comprar algo para comermos e, depois do sanduíche, ele está completamente destruído. Digo que não quero ir embora, vou ficar a madrugada toda, e Miguel não sabe mais o que fazer. Falo a ele que deve ir e que eu vou mantê-lo informado. Ele não me pergunta por que estou tão dedicada a cuidar de seu melhor amigo, mas a essa altura ele já deve saber que também me tornei a melhor amiga de Enzo.

Miguel me dá um beijo e vai embora às dez e meia. Fico ali sozinha, deitada nos bancos de espera, e consigo cochilar às vezes.

As informações que recebo dos médicos e enfermeiras depois que Miguel volta para casa são de que Enzo passou por um ultrassom para ter certeza de que não houve nenhum sangramento interno e raios X foram tirados de seu pescoço e suas costas. Ele também recebeu morfina, que deve ter ajudado bastante na contenção da dor, e seu quadril e o braço esquerdo incharam bastante. A única parte do corpo que ele quebrou foi a perna esquerda.

Quando o ultrassom e os raios X ficam prontos, deixando claro que Enzo está bem, desabo na cadeira de espera aliviada. A enfermeira me diz que estão tirando o colar cervical do pescoço dele e que ele estará pronto para voltar para casa em algumas horas, mas que talvez fosse melhor ele passar o resto da noite ali.

Ela me pergunta se moro com Enzo, digo que sim, e me instrui a cuidar dele. Fala-me sobre os remédios que ele deve tomar nos horários certos, como trocar as bandagens das feridas, colocar bolsas de gelo de tantas em tantas horas etc.

Enfim posso vê-lo de novo, desta vez acordado. Dou notícias para Miguel e Catherine e entro no quarto. Enzo está na maca, mais sentado do que deitado, e sorri ao me ver. Aproximo-me com meu coração derretendo de alívio e lhe dou um abraço cauteloso.

— Graças a Deus, Enzo! Fiquei tão preocupada... — digo com uma mão em seu peito. Enzo coloca a sua própria sobre ela, apertando-a suavemente, e um arrepio bom me perpassa por poder sentir seu toque de novo.

— Você esteve aqui essas horas todas?

— Claro. Miguel me ligou para avisar e eu vim imediatamente.

— E Miguel, onde está?

— Voltou para casa, estava exausto. Ele disse que pode vir com o seu carro para te buscar assim que você tivesse alta.

— Ah, que bom.

— Como foi que isso aconteceu, Enzo? — Sento-me no banco próximo à cama.

— Bom, eu estava indo de bicicleta dar uma aula particular de violão e, quando fui virar em uma rua, não esperei. Um carro já vinha em minha direção, acho que não me viu, e acabou me pegando de lado. Dei um giro no ar, acho, e caí na calçada, então apaguei. Não me lembro muito do que aconteceu depois, acho que ouvi as sirenes e fiquei consciente por alguns segundos quando os paramédicos chegaram. Tive muita sorte.

Concordo, pensando em quantas maneiras ele poderia ter sido machucado e, ao olhar para o lado da cama, vejo um vasinho com flores recém-enviadas. Pergunto-lhe quem foi o remetente.

— O casal de Palermo que me atingiu com o carro — explica Enzo. — Eles parecem boas pessoas, ficaram realmente muito mal com isso. — Ele estica o braço para pegar o cartão ao lado das flores e me mostra. Leio o italiano manuscrito. Eles dizem que sentem muito mesmo e que esperam que Enzo fique bom logo.

Falo para ele que os médicos acham que ele deve passar o resto da noite aqui e ir embora pela manhã cedo, após a última checada, e digo que serei sua acompanhante. Ele, claro, insiste que não preciso fazer isso, mas já tomei a minha decisão e não me importo que eu não tenha escova de dentes ou outras roupas comigo.

— A maquininha de refrigerante e doce está bem ali na sala de espera. É tudo de que preciso — completo, fazendo-o rir.

Enzo me mostra seus hematomas, inchaços e ferimentos e asseguro-lhe que já sei como cuidar deles, uma vez que a enfermeira me deixou a par dos procedimentos. Vez ou outra ela volta para colocar mais medicação na veia dele e sorri para mim por eu estar ali fazendo companhia. Acho que ela pensa que sou noiva de Enzo (já que não sou um familiar), ou então, se viu Miguel, deve achar que nós três temos um casamento poligâmico ou algo assim.

Passamos o tempo conversando e rindo de coisas bobas, até que ele fica cansado e dorme. Ajeito-me o melhor que posso na poltrona para acompanhantes e tento cochilar também.

Não consigo dormir mais que meia hora por vez, devido ao desconforto, sinto como se eu estivesse em um avião, e então faço pausas, dou uma volta no quarto, roubo uma revista na sala de espera ou pego um lanchinho e, quando Enzo está em sono profundo, acaricio seu cabelo para trás e beijo sua testa, do mesmo jeito que ele fez comigo das vezes em que me colocou para dormir no sofá depois de um dia pesado.

Quando está prestes a amanhecer, estou exausta e, mesmo com o desconforto, durmo de verdade. Enzo acorda antes de mim e sinto uma coisa caindo em meu colo logo antes de ele dizer:

— Bom dia, Bianca.

Abro os olhos meio assustada e me dou conta de onde estou. Em meu colo, uma das flores do buquê que o casal que o atropelou mandou. Seguro-a com delicadeza.

— Obrigada pela flor roubada do casal siciliano. É muito gentil.

— Oras, de nada. É um prazer repassar presentes. Você é que tem sido gentil até demais.

Sorrio tímida e coloco a flor na poltrona ao me levantar. Fico ao lado de sua cama e analiso seu rosto.

— Você está menos pálido hoje. Acho que daqui a pouco eles vêm para te dar alta.

— Tomara. Não vejo a hora de jogar *Zombie World*.

Dou risada de seu bom humor. Mesmo saindo do hospital, Enzo sabe que vai ter de ficar em casa um tempo para se recuperar, e já prevejo longos dias recheados de videogame, livros e séries de ação. Como gosto de todas essas coisas, não me importarei de me juntar a ele. E, caso precise de ajuda nas despesas, ainda tenho uma sobra da poupança.

Vou buscar algo para comer na cafeteria, que já deve estar aberta a essa hora, e quando volto Enzo me diz que o médico esteve lá e lhe deu alta. Comemoramos com movimentos de braço idiotas e, ainda dando risada, ajudo-o a deixar tudo organizado para irmos. Ligo para Miguel e ele diz que logo estará lá.

Enzo está usando uma tala para a perna quebrada e anda com a ajuda de uma muleta. Ele se apoia em mim também quando precisa. Imagino que seja doloroso se mover, mas pelo menos seus braços estão bons, o inchaço está passando e ele apenas tem de cuidar das feridas e das escoriações.

Ao sairmos do hospital, Miguel está do lado de fora com o carro. Enzo se acomoda no banco do passageiro e logo estamos em casa.

Miguel tem de voltar ao trabalho, então apenas nos deixa lá. Ao ser lembrada de que moramos no primeiro andar de um prédio sem elevador, fico com pena de Enzo. Ele demora um bocado para subir, mas eu o ajudo o máximo que posso, e chegar lá em cima vira motivo de uma nova celebração.

Ajeito o sofá para ele, vendo que este se tornará, ainda que forçadamente, o seu espaço favorito nos próximos tempos, e entro em seu quarto para auxiliá-lo a trazer travesseiros e cobertores que o deixem confortável. Ele me diz que não preciso ficar mimando-o, mas eu não tenho nada melhor para fazer, então não é incômodo nenhum.

Ligamos o videogame e ocupo um dos pufes, de modo a deixar o sofá todo para ele. Não jogo tem algum tempo, portanto estou bem destreinada, mas logo pego o jeito e consigo marcar uma quantidade admirável de pontos.

Nos dias seguintes, passamos as tardes assim enquanto Miguel está no trabalho — às vezes jogando, às vezes lendo cada um em seu canto e às vezes vendo TV. Começamos a acompanhar uma série juntos e frequentemente assistimos a uns dois ou três episódios de uma vez, incapazes de esperarmos pela sequência.

É um tempo muito divertido. Tenho de ir para a aula em alguns períodos, mas quando volto sempre faço companhia a ele. Os remédios que ele toma, no entanto, o deixam bastante sonolento, e quando ele cochila vou cuidar de mim mesma ou da casa, ou levo o computador para a sala para fazer meu dever de casa e pesquisar sobre profissões e carreiras. Quase sempre, quando ele acorda, já tenho o jantar pronto e então fazemos a nossa refeição.

Ele gosta de se sentar à mesa, para sair um pouco da mesma posição, e a gente conversa assuntos diversos enquanto degustamos a comida. Com o acidente dele, minha vontade de cozinhar voltou e acabo motivada a aprender um prato novo a cada dia. Enzo também sempre quer me ajudar com a louça, como nos velhos tempos, mas recuso e sozinha cuido dela rapidinho.

Estamos dividindo o sofá um dia quando ele fica cansado e se deita numa posição meio estranha, acho que não querendo pedir para eu sair. Cutuco-o e sugiro que ele coloque a cabeça em meu colo. Ele o faz e fecha os olhos. Sinto um milhão de sensações em meu corpo, e minha mão age sozinha e toca em seu cabelo suavemente. Vejo um leve sorriso se desenhando em seu rosto quase adormecido e sinto ainda mais borboletas no estômago. Paro com a carícia antes que as criaturinhas invisíveis me matem.

Quando Miguel volta para o apartamento, geralmente Enzo já está quase em sono profundo e acorda para ir ao seu quarto para dormir ou ler. Miguel fica vendo TV e eu termino meu trabalho doméstico ou qualquer coisa que esteja fazendo no computador e vou me deitar.

A distância entre mim e Miguel voltou. Não sei se ele não fala nada em respeito à convalescença de Enzo, levando isso mais como uma vocação minha para cuidar das pessoas do que algo além disso — pois estou sendo muito boa para ele, ajudando-o com tudo de que ele precisa, lembrando-o dos remédios, trocando as bandagens etc. —, ou se é porque sabe que fiz minha escolha a respeito da universidade e, portanto, não há sentido em nos conectarmos mais.

Estamos na segunda semana de recuperação do Enzo. Ele já está bem melhor, mas ainda continua com seus cuidados. Ele mostrou atestados médicos para seus professores, porém ainda tem provas para fazer, as quais ele conclui via on-line.

Ao fim de sua última avaliação pelo computador, Enzo o põe de lado e suspira aliviado. Estou por perto lendo um livro e me lembro que é hora de trocar seus curativos.

Essa hora é sempre tentadora. Enzo tira a camiseta e eu venho com os materiais e uso as minhas mãos com cuidado em seus machucados.

— Estou ficando muito magro — reclama ele, enquanto estou cuidando de uma ferida em um dos lados do seu corpo. — Sem malhar, meus músculos estão murchando.

Mas mesmo que ele não esteja tão forte, não vejo nada errado com seu corpo. Não acho que ele perca em nada para Miguel, mesmo meu namorado tendo braços duas vezes mais grossos e a tal barriga tanquinho que as garotas costumam superestimar.

— Logo você vai poder voltar à academia — digo para tranquilizá-lo, porque sei que não adianta falar que ele está bem assim.

— E você? Não tem ido desde o meu acidente?

Olho para baixo, envergonhada.

— Sim... fiquei com preguiça de ir. — Dou um risinho. — Mas eu sei, vou voltar.

— Se for esperar por mim, vai ser um tempo longo. Preciso passar por fisioterapia primeiro.

— Não vou esperar — respondo. Meu estilo de vida saudável não pode parar, e sei disso.

Quando chego ao machucado em seu rosto, perto do supercílio, que não é grande nem nada, só mesmo colocar um remedinho e um band-aid, preciso olhá-lo bem de perto, e é geralmente quando as sensações de garotinha apaixonada me tomam. Desta vez, seguro as laterais de seu rosto para soprar e fazer secar o remédio antes de pôr o band-aid, e Enzo me olha de volta como normalmente *não* faz, acho que como meio de evitar um daqueles momentos de química intensa.

A química acontece, e minhas mãos estão em seu rosto, e ele está me encarando de uma forma que interpreto como: *Pelo amor de Deus, Bianca, não aguento mais.*

E me lembro que em Veneza ele disse que a decisão era toda minha. Agora, no entanto, neste exato instante, tenho quase certeza de que ele vai me beijar.

Como Catherine disse, nós dois somos namorados tanto quanto eu e Miguel. Acho que, depois do acidente, ainda mais. Talvez sejamos *mais* namorados do que eu e Miguel agora, uma vez que raramente há beijos e outras coisas.

E, pelos anjos e demônios, como eu quero que ele avance! Mas são quase oito da noite e Miguel está para chegar. Se ele abrir a porta e nos ver assim, a coisa vai ficar feia. Então me afasto e ouço um pequeno suspiro disfarçado vindo de Enzo. Estou sob pressão. Novamente sinto que chegamos ao ponto em que, ou passamos menos tempo juntos, ou chutamos o balde e vamos em frente com tudo.

Fico contente com a minha decisão quando, vinte minutos depois, Miguel entra em casa. Sei que eu e Enzo precisaríamos de mais de vinte minutos para vivermos nossa paixão, uma vez que começássemos...

Não sei se Miguel tem um radar interno ou coisa assim, mas ele me pergunta, quando estamos juntos no quarto e Enzo dormindo no dele:

— Como foi o seu dia?

— Bom — digo brevemente.

— Nada que queira me contar? — E ele sustenta o olhar em meu rosto por um tempo maior que o habitual. Engulo em seco disfarçadamente e ajo com indiferença.

— Não. Tudo na mesma.

E é o mesmo que respondo para Mari, Catherine e meus pais. Mari está superpreocupada com Enzo, e me sinto como uma enfermeira, reportando tudo. Ela manda mensagens para ele de vez em quando e vejo Enzo respondendo.

Acho que voltaram a conversar, mas não sei o nível de interesse que ele tem nessas conversas. Às vezes o vejo dando risinhos e fico com ciúme imediatamente. É uma ótima oportunidade para ela, quando ele está entediado em casa por tantas horas, e sei que Mari, esperta como é, vai aproveitar cada chance.

Quando conto isso a Catherine, ela me diz para relaxar, porque se eu e Enzo tivermos de ficar juntos no futuro, se "for para ser", nenhuma garota vai desviar a atenção dele de mim. Isso me ajuda a ficar tranquila, mas ao mesmo tempo faz com que a culpa habite em mim e que ela então me cutuque por toda a noite.

22

PLAYLIST:
E' L'Amore Che Conta – Giorgia
Marry Me – Train

Dezembro chega, e aproxima-se o dia da minha passagem de retorno — outros vinte e três dias apenas — que mal posso acreditar.

Mesmo querendo começar a graduação em Roma, precisarei voltar, ao menos por algumas semanas (ou um mês, realmente falando), para pegar toda a papelada necessária no Brasil e, claro, ver a minha família antes de uma nova separação, esta por um tempo muito mais longo.

Resolvi que vou conversar pessoalmente com os meus pais sobre a decisão, pois até agora ainda não escolhi o curso, mas sei que até voltar já terei uma ideia mais formada.

Enzo está muito melhor e tirou a tala, portanto já pode andar e continuar com suas atividades normalmente. Miguel está mais empenhado do que nunca na empresa, pois quer terminar o ano e sua experiência com chave de ouro, e eu, vendo todas as coisas que faço como uma das últimas, lamento a cada decoração de Natal que vejo nas ruas, uma vez que Natal significa voltar para a minha verdadeira casa, e, depois de segunda-feira, quando recebi a pior notícia, não estou aguardando nem um pouco essa data.

Meus pais se separaram. De vez. Segunda-feira assinaram o divórcio e agora não há nada mais que alguém possa fazer.

Fiquei bem triste quando soube e, é claro, Miguel não estava lá depois que mamãe me ligou, então foi Enzo quem enxugou as minhas lágrimas.

Falando por vídeo com a minha mãe e os meus irmãos, percebi o quanto sinto falta deles, mas percebi também o quanto, principalmente, sentirei falta de papai quando ele sair de casa. Eles me garantem que posso visitá-lo sempre, mas agora sinto como se não houvesse mais nenhum sentido mesmo ficar no Brasil, uma vez que nossa família desmoronou. Minha mãe ficará bem com meus irmãos, que exigem muita dedicação dela, e eu viverei sozinha, me desafiando, crescendo e aprendendo a me virar.

Tentando aproveitar da melhor forma possível meu curto tempo restante, vejo a oportunidade durante um ensaio da banda de Enzo.

Eles não podem fazer barulho no apartamento, então os encontros quase sempre acontecem na casa de Bernardo, em sua garagem, porém uma única vez eles se reuniram onde eu moro, quando Enzo ainda estava de perna quebrada, para tocar de forma silenciosa e ensaiar melodias.

Eu, assistindo, notei que eles têm muito talento. Marco é o vocalista, Bernardo, o baixista, e Filippo, o baterista. Enrico, quando se junta ao grupo, é a segunda guitarra ou o teclado. Quanto tocam acústico, geralmente Enzo faz o violão principal ou o piano.

Assim, em um dia que fico de babá para os Riggio, cai a ficha pela primeira vez que Lucio, quer dizer, o Sr. Lucio Riggio, é produtor musical. Quando ele chega em casa e estou saindo, falo sobre um grupo talentoso de amigos meus por quem ele poderia se interessar.

Lucio diz que está procurando algo bom e novo e me dá seu cartão. Fala que podemos marcar uma data dali a duas semanas, mais ou menos, em algum bar para que a Ozmose se apresente na frente dele e ele decida se deseja trabalhar com eles, mas antes devem ter um CD demo para enviar a ele e uma página na internet.

Toda empolgada, conto aos meninos o que ele disse e a atmosfera muda completamente. Eles ficam animados, mas dizem que não têm estrutura para tudo isso nem dinheiro, e é quando tenho a mais brilhante ideia de todas.

Digo-lhes que serei a agente deles, ou seja, os ajudarei a fazer tudo isso que precisam — o CD demo, a página, a apresentação no bar, os contatos com o Sr. Riggio... —, e eles não precisam me pagar, apenas se conseguirem o contrato com a gravadora, aí me repassam uma porcentagem. Essa é realmente uma ótima ideia para eu ganhar algum dinheiro e ainda fazer aquela bela banda aflorar.

Enzo concorda que é uma boa ideia e os outros acabam aceitando também, só terão de mudar o perfil que tinham antes, de "banda de diversão" para "negócio sério", e é isso que acaba acontecendo nas semanas seguintes.

Eles ensaiam sem parar, e enquanto isso eu uso a internet a meu favor o máximo que consigo e aprendo a fazer um site minimamente decente para eles. Digo-lhes que precisam investir em *social media* também e crio páginas para a banda nas principais redes sociais. Também fazemos uma vaquinha e pagamos um fotógrafo universitário para tirar as fotos oficiais.

Estou gostando tanto do meu trabalho que passo horas por dia ocupada com ele, e com a companhia dos meninos fica ainda mais divertido. Miguel se surpreende com a minha visão empreendedora e torce para que dê certo, mas não participa de nada.

A parte mais difícil é o CD demo. Acho um estúdio que cobra um dinheiro que não temos, mas nos esforçamos para conseguir e acabamos pagando e indo fazer as sessões de gravação. Fico ouvindo e dando opiniões junto com o técnico que opera os equipamentos, mesmo conhecendo muito pouco de música (pelo menos a teoria) e, ao fim de muito esforço, quatro canções são gravadas: três inéditas e uma versão.

Quando entro em contato novamente com Lucio, temos tudo o que ele pediu, inclusive uma data de apresentação em um bar bastante internacional chamado The X Pub, para dali a uma semana e meia. Ele concorda e nós comemoramos. A partir de então, os ensaios começam a ser quase diários.

Miguel viaja à Suíça para encontrar seu pai, para voltar no dia 20, e a apresentação da banda está marcada para o dia 22, terça-feira — não é o dia mais movimentado, mas tudo bem, foi o que deu. Não verei Miguel até pouco antes de partir para o Brasil, e pegaremos voos diferentes, uma vez que ele tem de ficar com seu pai em Roma por mais uma semana para eles resolverem os assuntos da empresa.

Assim, a despedida que temos antes de ele pegar o voo para a Suíça é quase definitiva. Tenho uma sensação estranha em meu estômago, de que estamos ampliando ainda mais o abismo que já existe entre nós, talvez de forma permanente. Dou-lhe um beijo de verdade como não houve em dias. Por que acho que pode ser o último?

— Uau, esse foi bom — comenta ele, separando-se de mim, mas mantendo as mãos em meu rosto. — Tchau, Bianca, fica bem.

— Vou ficar. Tenho bastante trabalho a fazer.

— Boa sorte. Volto em tempo de vê-los no pub. Espero que dê tudo certo.

— Vai dar, sim. — E dou mais um selinho em seus lábios, afastando-me em seguida para que ele possa ir. Acompanhei-o até Termini, de onde ele vai pegar o trem para o aeroporto, e este já está estacionado na plataforma.

Miguel pega sua mala no chão e corre para dentro do trem. Aceno e, assim que ele some à procura de seu assento, ando para fora da estação e subo em minha bicicleta para voltar para casa.

Durante os dias em que Miguel está longe, mantenho-me igualmente ocupada, e Enzo também. Procuro marcar encontros com Catherine o máximo de vezes possível, pois, com todas as incertezas em meu futuro, não faço ideia de quando a verei de novo depois que eu for embora.

As aulas de italiano acabam na terceira semana do mês, e saber que há uma chance de eu nunca mais voltar lá me deixa triste. Estou muito feliz de ter frequentado a escola, conhecido todas aquelas pessoas de diferentes nacionalidades — mesmo eu não tendo as conhecido suficientemente bem —, e estou bastante grata por poder dizer com orgulho que agora falo italiano. Não perfeitamente, mas consigo me virar bem com praticamente tudo, e isso é fantástico, pois sei que, se não fosse a vivência que tive no país, nem três anos estudando no Brasil teriam me levado a esse nível de conhecimento do idioma.

Quanto a Enzo, estou triste por saber que não conviveremos mais a partir do dia 23. Posso até voltar à Itália para estudar, mas morarei em outro lugar, e há uma grande chance de nos vermos como amigos somente bem de vez em quando, se é que manteremos contato. Nós podemos muito bem acabar decidindo esquecer um do outro e cada um seguir a sua vida em caminhos que possivelmente não voltarão a se cruzar.

Esse pensamento me deixa realmente deprimida, pois adoro a companhia dele, mas estou muito em dúvida sobre o que devo fazer, e é claro que há coisas que não podemos controlar nesse mundo, portanto digo a mim mesma que devo agir como se esses dias fossem os últimos de minha vida que passarei com Enzo. Se houver algo para ser dito ou feito, esta é a hora.

Só de pensar nisso meus batimentos aceleram e sinto aquela sensação incógnita no peito. Tudo ainda depende de mim, sempre foi assim e não sei por quê. Não é justo que *eu* tenha de ser a perturbadora da paz e dos bons costumes, mas acho que a culpa é minha por não ter um autocontrole tão bom, ou mesmo por ter crenças tão limitadas sobre os homens que penso não ser possível encontrar outro alguém como ele no mundo.

Enzo pode até gostar de mim, mas na sua concepção deve haver muitas outras mulheres interessantes no planeta que podem ser encontradas por aí e não representem problema. Só eu que acho injusto que parece haver uma porcentagem muito maior de garotas "pacote completo" (bonitas, inteligentes e legais) do que de homens com as mesmas características? Talvez o problema seja onde estou procurando, mas ainda assim não acho justo...

Em alguns dias fico em casa com Enzo, nossa estranha distância me consome a cada minuto, mas pelo menos ele está no apartamento de vez em quando. Ultimamente o tenho visto pouco, e isso deixa o meu humor afetado.

Toda vez que ele não está, fico imaginando para onde ele pode ter ido, com quem, a que horas volta, e meu ciúme e meu instinto protetor (e o.k., um pouco de vontade de ter influência em sua vida, mas, como não sou Miguel, estou longe de querer controlá-lo) me fazem desejar estar onde ele está e saber os detalhes do que lhe aconteceu no decorrer do dia.

Quando tenho de jantar sozinha, ou mesmo passar a noite vendo TV sem companhia no sofá e sei que ele não está com a banda, não consigo me impedir de questionar se ele está com outra garota. Enzo deve ter alguma paquera — que não é Mari —, e a ideia de ser alguém fisicamente próximo dele me faz querer esmurrar a mim mesma por tamanha idiotice.

A viagem de Miguel faz tudo ainda mais difícil, pois sua ausência me leva a esquecer com frequência que tenho de levá-lo em consideração. Principalmente um dia antes de ele voltar, quando a Bianca Anjo está cansada de lutar contra sua outra face. Sinto vontade de voltar ao confessionário, mas a esta altura já não acho que haja mais salvação para mim.

23

PLAYLIST:

Sere Nere – Tiziano Ferro

Give Me Love – Ed Sheeran

No sábado 19, estou usando meu computador para atualizar um dos *links* que criei para a Ozmose com a música que julgo que será a de maior sucesso, e uma lâmpada se acende em minha cabeça ao perceber que descobri o que quero fazer. Eu sei o que quero estudar!

— Enzo! — Levanto-me de um pulo, empolgada de repente. Paro em frente ao sofá, onde ele está deitado, lendo. Ele põe o livro de lado para me ouvir. — Descobri a profissão ideal para mim. Acho que eu devo estudar Marketing e Comunicação. Depois de tudo isso que fiz pela banda de vocês, percebi que adoro gerenciar, planejar, divulgar e fazer propaganda.

Enzo se ergue para se endireitar no sofá, e eu me sento ao seu lado, o braço apoiado no encosto para olhá-lo de frente. Seu sorriso me estimula.

— Que bom, Bianca! Acho que você seria ótima nisso. O que vem fazendo nessas últimas semanas é incrível, você realmente leva jeito.

Dou um sorriso enorme e uns "pulinhos" de celebração. Ele ri, feliz por eu ter finalmente feito a minha escolha.

Não quero mais pensar sobre a minha carreira, já passei tempo demais considerando cuidadosamente várias profissões, e nenhuma perspectiva me animou tanto quanto esta de agora.

— E você vai estudar aqui em Roma?

Espremo os lábios demonstrando incerteza.

— Então, a ideia é que sim... mas preciso conversar direitinho com os meus pais. E com Miguel.

Após a menção de Miguel, ficamos em silêncio por alguns instantes. Enzo então ergue os olhos e me fita com atenção, sua voz soando baixa e insegura:

— Se você vier estudar aqui, como vai ficar sua relação com o Miguel?

Olhar em seus olhos me desorienta, principalmente porque eu tenho sido forte, muito forte, para me segurar toda vez que quero me juntar a ele no que está fazendo e me deitar ao seu lado, ou roubar-lhe um beijo na bochecha, um abraço ou mesmo fazer brincadeirinhas que exijam toque ou proximidade maior.

Eu sou uma bomba-relógio e meu tempo está se esgotando. Posso, sim, aguentar mais alguns dias apenas, mas estou louca para explodir e não sei se continuarei tendo sucesso em me proteger de mim mesma.

— Eu não sei ainda... não consigo pensar nisso... — Cutuco o sofá.

— Bianca, você já tinha de ter tomado essa decisão a esta altura.

Surpreendo-me com a sua repreensão. Olho de volta em seus olhos, um pouco assustada. O que aconteceu com o Enzo? Ele ainda parece bastante sério.

— Por que fala isso? — Faço-me de sonsa. Ai, Bianca, se concentra...

— Você sabe — responde ele, e meus batimentos estão tão violentos que sinto meu peito doer.

Mais um silêncio ensurdecedor se segue e Enzo acaba por quebrá-lo. Ele franze o rosto e suspira, passando a mão na testa e no cabelo, como alguém que desiste de algo.

— Quer saber? Não posso mais guardar isso. Não é justo com você.

E estou morrendo, literalmente morrendo...

— Bianca, eu tenho de te contar uma coisa. Sobre Miguel.

Meu estômago abre um buraco e eu continuo feito uma bocó olhando para ele com a boca entreaberta.

— O quê?

Enzo se levanta. Vejo que ele demonstra certa aflição. Ele começa a andar em círculos pela sala.

— Miguel não tem sido honesto com você, nem eu. O problema é que, em nome de minha amizade por ele, prometi manter segredo, pelo bem de vocês. Isso nunca me deixou tranquilo, mas contar a verdade parecia uma alternativa pior. Faria eu parecer egoísta e quebraria a confiança que Miguel tem em mim. Só que, agindo dessa maneira, quebrei a confiança que tenho com *você*.

Levanto-me também, mas não me movo do lugar.

— Do que está falando, Enzo? Pelo amor de Deus...

Enzo para diante de mim e solta, abalado:

— Miguel te traiu, Bianca! Não sei quantas vezes, não sei até que ponto, mas ele o fez!

Estou quase sem ar agora, e meus joelhos fracos fazem o meu corpo desabar de volta no sofá atrás de mim. Não sei dizer se isso é um alívio ou um desapontamento, apenas sei dizer que é... forte.

Enzo se senta também, como se temendo que eu tenha um ataque ali ao seu lado. Viro o rosto para ele.

— Com quem foi?

— Lara — responde ele rápido, e o nome não me surpreende nem um pouco. Eu sabia que os meus instintos estavam certos...

— Quanto tempo tem isso? — pergunto, séria e controlada.

— Alguns meses — responde ele.

— Por volta de que mês? — insisto.

— Como eu disse, não sei se isso já vinha acontecendo antes ou se continuou depois, mas um dia pude ver com os meus próprios olhos na boate em que estávamos, e, quando fui tirar satisfação com Miguel, porque não achei nem um pouco justo com você, ele gritou comigo que isso não era da minha conta e ele ficaria muito desapontado se eu viesse a contar a você.

Levanto-me de novo.

— *E por que você não me contou, Enzo?* — pergunto bem alto. Agora estou aborrecida. De pensar quanto tempo perdi tentando ser fiel a esse ser mesquinho que considerei tanto!

— Eu não queria me meter, Bianca! Miguel me fez prometer...

— Você teve várias oportunidades de me falar, Enzo! *Várias.* — Continuo irritada. — Foi antes de Veneza?

— Sim, bem antes.

Respiro fundo para me acalmar, mas agora sou eu quem está dando voltas sem sentido. Enzo caminha até mim e segura os meus braços para que eu pare e assim eu possa olhá-lo nos olhos.

— Você acha que isso não me torturou todos os dias? Não sei se você reparou, mas me distanciei muito do Miguel de uns tempos para cá. Isso que ele fez me desapontou muito, porque você é uma garota maravilhosa, uma namorada incrível, e não merece o modo como ele tem te tratado durante todo o tempo em que estiveram aqui. — Ele não me dá chance de responder. — Eu estive aqui, Bianca, eu vi tudo. E sei que vocês tiveram bons momentos também, que se amaram, mas todos os dias eu me perguntava por que você ainda aguentava isso.

— Não era fácil sair da situação que eu estava, Enzo — discuto. — Eu não podia simplesmente fazer as minhas malas e partir. Eu tinha começado uma vida aqui, eu poderia pelo menos aguentar e ir até o fim.

— Mas por que ainda tem dúvidas então do que deve fazer?

Estou quase chorando, mas seguro o nó que se formou em minha garganta e continuo sendo durona.

— É fácil pra você falar, quando esteve aqui, guardando o seu segredo enquanto poderia muito bem ter me dito e feito com que eu terminasse logo com Miguel! Não percebeu que era de uma verdade assim que eu precisava? De uma abertura dos olhos? Mas, por outro lado, o que ganhei foi ser feita de idiota. Sei que quase o traí eu mesma muitas vezes — digo isso sem me importar que estou olhando nos olhos de Enzo —, mas eu me segurei! Foi difícil, e eu fiz isso por causa dele! — grito muito agora, mas estou pouco me lixando para os vizinhos.

Enzo transfere as mãos para a minha face, percebendo quão abalada e trêmula eu me encontro, e aproxima o seu rosto do meu para que eu o escute.

— Bianca, você não entende que foi difícil para mim também? Eu achava que vocês iam acabar terminando de qualquer jeito, uma hora ou outra, mas não queria que fosse *minha* a culpa pelo término de vocês. Tanto por eu te contar o que vi quanto pelo que já estava acontecendo entre nós. Por mais que eu desaprove as ações do Miguel, quem seria eu para condená-lo? Se eu te contasse e você por vingança traísse o Miguel comigo, eu não estaria agindo da mesma maneira que ele? Não estaria agindo de maneira *ainda pior* ao fazer sua namorada largá-lo para que ela ficasse comigo?

Então compreendo. Minha respiração se regula um pouquinho e me acalmo, mas é claro que não é possível ficar totalmente calma — PELO AMOR DE DEUS, ESTAMOS FALANDO SOBRE NÓS DOIS.

— Eu também não quis terminar antes porque não queria sair daqui, do apartamento — confesso. — Se isso acontecesse, eu não veria mais você. Não teria a mesma graça.

Enzo, ao alcançar aquela compreensão, também relaxa um pouco e tira as mãos do meu rosto, aparentemente se dando conta do que estava fazendo. Ele caminha de volta e se senta no sofá, colocando as mãos na cabeça.

— O que nós fizemos, Bianca? Está tudo uma bagunça. — E, mesmo sob toda aquela tensão, ele consegue abrir espaço para um sorrisinho. Não consigo resistir, porque, afinal, sempre que ele sorri, eu sorrio de volta.

Sento-me no sofá, todo o meu corpo formigando. Deus, como ele está lindo hoje, com seus cabelos loiros mais compridos do que nunca (acho que ele não cortou mais desde que eu disse que gostava deles maiores), jogados para trás e voltados para fora em sua nuca, seus trajes de nerd descolado, os jeans perfeitamente ajustados e a camiseta do *Star Wars*... Estou me segurando em correntes. Preciso de um tanque de guerra para me conter agora que descobri que não faz mais sentido algum manter-me fiel.

O celular de Enzo apita logo depois que me sento. Ele o pega rapidamente para ver a mensagem. Espio a tela e leio que é de Mari.

Ai, Mari, por que agora?!

Enzo lê o que ela escreveu e não responde, apenas olha para mim.

— Ela está me perguntando se vamos nos ver de novo em breve — me informa ele, virando o celular para mim, então apaga a tela e o coloca no pequeno espaço entre nós. — O que eu digo?

Está faltando ar no ambiente de novo. Estou derretendo com o calor, com as chamas dos abismos do Inferno, o qual mais parece um Céu. Desculpa, padre Domenico...

— Isso é você quem deve decidir. — Dou de ombros, como se eu não me importasse. Mas Enzo me encurrala, seu olhar incisivo.

— Eu quero que *você* me diga.

E lá estou eu novamente, com a decisão em minhas mãos.

— Você já esteve ou está interessado nela? — pergunto.

Enzo abaixa a cabeça em seu gesto charmoso de timidez e vira o pescoço para me olhar daquele seu jeito sexy que — por todas as criaturas pecadoras — tem o poder de me trespassar cinquenta vezes o coração.

— Não — responde ele com tranquilidade.

Então um sorriso sutil, mas muito sutil mesmo, move o canto de seus lábios para cima, e eu estou sufocando, me afogando numa piscina de amor.

— Eu tentei, Bianca, juro que tentei, mas não consegui me interessar por nenhuma garota desde meados de julho. Porque eu não conseguia tirar você do meu pensamento. Foi terrível. — E essa sua tentativa de piada no final, com o sorrisinho amargo se ampliando, é o limite, a última gota que faltava cair na piscina em que estou me afogando, e — por favor, não aguento — eu me entrego, de corpo e alma.

Elimino o espaço existente entre mim e Enzo num único impulso selvagem repleto de tanto amor e desejo que, se eu pudesse emanar para a atmosfera toda essa energia, a Terra inteira se beneficiaria. Encaixo a minha mão atrás de seu pescoço macio e puxo-o com tudo para a minha boca.

Ao sentir os seus lábios quentes sobre os meus, sou tomada por arrepios em lugares que nunca achei que pudessem ser tomados por tal intensidade de sensações. Beijo aqueles lábios repetidamente, apreciando a maciez inacreditável que possuem, até que Enzo abre espaço com sua língua e — AI, MEU SENHOR — é o paraíso na Terra.

Ele me puxa para mais perto pela cintura, da mesma forma que eu queria tanto que ele fizesse naquela ponte em Veneza, e as imagens de nossas aventuras juntos passam por minhas pálpebras fechadas como um sonho perfeito. É quase impossível acreditar que, depois de tantos meses, finalmente cruzamos a barreira.

Passo os meus dedos por seus cabelos e com a outra mão toco o seu rosto não barbeado e seu peito magro e atlético. Ele tem músculos firmes e pouco volumosos, e isso é totalmente ideal. Não sinto nenhuma falta das "montanhas" de Miguel.

Estamos tão ávidos que não há nenhuma maneira de sermos interrompidos. Enzo pega a minha coxa e a traz para o lado de seu corpo. Sinto tudo queimar quando ele percorre sua mão em minha perna e depois aperta o meu bumbum. Dou milhares de pequenos beijos em seus lábios irresistíveis e paro por um segundo para olhar em seus olhos, que estão completamente acesos, brilhando e dançando, refletindo a felicidade que ele buscou e reprimiu durante todos aqueles meses.

— Bianca — sussurra-me ele, e chega perto do meu ouvido, deixando-me totalmente entregue. — Você tem certeza do que está fazendo?

— Já está feito, Enzo — respondo, e, inacreditavelmente, a culpa que sempre morou no fundo do meu estômago juntamente com as borboletas rebeldes já não me oprime mais. Estou ajustada no modo "pouco me lixando", pois ninguém mandou Miguel me trair. Ele apenas me deu um passe para eu revidar.

— Eu não sei se ele foi até o fim com essa garota...

— Shhh. — Ponho o meu indicador em seus lábios. Ele o beija, provando com mais argumentos que é o cara mais sexy que já conheci. — Como eu disse, já está feito, Enzo. Não vai fazer diferença nenhuma pararmos agora. Já estava feito lá atrás, desde o dia da boate Luce.

Enzo não argumenta, e sei que ele concorda. Naquele dia ambos nos sentimos tentados, e agora já acredito que a traição não começa quando nos beijamos. Ela já existia desde os nossos pensamentos sórdidos.

Enzo me pega de volta, ao meu sinal de que quero continuar a beijá-lo, e me puxa para seu colo, nossa paixão transborda e devasta tal como o Vesúvio em Pompeia. *Estou traindo Miguel*, e não me importo. *Sou uma criatura vil*, e não me detenho. *Estou tirando minha blusa*, e logo o sutiã também.

Sei que estamos indo longe demais, talvez mais do que Miguel jamais foi com Lara, mas estou em chamas e não consigo parar. Aquele é o último dia da minha vida em que posso ter Enzo, é assim que penso. É o dia em que é tudo ou nada.

— Tem certeza? — pergunta ele em meu ouvido novamente, enquanto me toca e me deixa louca. Vejo o quanto ele está aproveitando o instante, mas a dúvida e seu bom caráter o deixam inseguro.

— Silêncio, Enzo. Essa não é uma boa hora para pensar. — Digo suavemente, acarinhando o seu rosto e jogando os seus cabelos para trás. Ambos estamos um pouco ofegantes e seus olhos são a coisa mais bonita do planeta naquele instante. Tudo o que eu quero é tê-los para sempre.

Ele me agarra de volta e percebo que resolveu enfim me ouvir e esquecer tudo. Estou tão excitada como jamais estive, e quando começamos a avançar mais e mais rumo ao inevitável que vínhamos evitando por um tempo admiravelmente longo, noto quão perfeito é todo o momento. Sinto como se eu estivesse em um filme.

E não em um pornô, mas sim em um filme romântico. Sou a mocinha que descobre pela primeira vez o que é ser amada de verdade.

24

PLAYLIST:

Call Your Girlfriend – Christopher

How to Save a Life – The Fray

Estou condenada para sempre. Não sei o que será de mim, como olharei para a cara de Miguel e mesmo para a de Enzo. Deixei-me levar pelo momento e foi incrível, mas ao mesmo tempo em que estou feliz e saltitante, sinto um terrível fardo a carregar, pois traí a confiança de duas pessoas que amo.

Sim, eu amo Miguel, apesar de tudo. Não há mais nenhum futuro para nós, no entanto, tenho plena consciência, principalmente depois do que eu fiz. Não sei o que vou dizer a ele, se é que vou dizer alguma coisa. Talvez seja melhor ficar calada com meu segredo, da mesma forma que ele ficou a respeito do seu.

Agora que tudo se acalmou, sei que fui além do que deveria. Eu cometi o mesmo erro que uma das ex-namoradas dele. Sim, Miguel me traiu, mas eu fiz pior. Eu o traí com o melhor amigo dele. Com o cara que apresentei à minha melhor amiga e que vem conversando com ela, alimentando suas esperanças de um romance com, finalmente, um rapaz bom.

Eu acabei com a amizade de Miguel e Enzo. Nada mais será igual entre eles, não dá para questionar. Miguel é o tipo de cara que se sentiria incrivelmente ofendido com algo assim, posso prever sua reação extrema. O laço de confiança que existia entre eles e, bom, comigo, caiu aos pedaços. Estamos perdidos. Estamos em guerra.

Depois do extravasamento de nosso amor reprimido, eu e Enzo nos abraçamos e ficamos assim, refletindo em silêncio, por vários minutos. Nenhum de nós está feliz. Sabemos o mal que causamos, e isso é forte o bastante para encobrir nossa alegria por finalmente estarmos juntos.

Ele então beija a minha testa com ternura e vai para a cozinha sem dizer nada. Fico no sofá, sentada imóvel por mais alguns minutos, até que Enzo me chama para comer a pizza que ele esquentou e nós ligamos a TV para preencher a quietude do cômodo. Assim que termino de comer, digo que estou muito cansada e vou para o meu quarto. Odeio esse clima ruim, depois de tanto amor e paixão, e fecho a porta para tentar dormir.

Miguel me liga logo depois que me deito. Não atendo. Não posso falar com ele agora. Amanhã ele estará de volta, e eu não faço a mínima ideia do que fazer da minha vida.

* * *

No dia seguinte, sinto-me um pouco mais fortalecida e começo a arrumar as malas, pois tenho bastante coisa para empacotar. Gostaria de já saber o meu destino depois das férias, assim eu poderia até deixar algo aqui em Roma.

Saio para a cozinha e vejo que Enzo não está em casa. Fico pensando se ele não está me evitando. Provavelmente. Decido me trancar no banheiro e ligar para Catherine. Quando ela atende, diz que não pode ir me ver, está ocupada, então acabo contando o ocorrido pelo celular mesmo e, sentindo uma mistura de emoções, ouço os suspiros de surpresa dela do outro lado da linha.

— E o que você vai fazer agora, Bianca? — pergunta-me ela.

— Não sei. Miguel deve estar de volta em algumas horas. Acho que só vou ocultar a verdade. Vou terminar, isso já decidi, mas não quero mencionar Enzo. É melhor que a distância os separe em vez de eu ser a causa da separação deles.

— Mas você não acha que é pior mentir? Quer dizer, ocultar a verdade — ela usa as minhas palavras. Obrigada, Catherine, por amenizar a minha vilania. — Quando você e o Enzo ficarem juntos, ele vai acabar desconfiando...

— E quem disse que eu e Enzo vamos ficar juntos?

— Pelo amor de Deus, Bianca, depois de tudo isso você ainda tem alguma dúvida? Nenhuma garota em pleno juízo dispensaria essa chance de felicidade.

— Ficar com ele não representa felicidade, Catherine — respondo com tristeza. — Por melhor que ele seja para mim, de que adianta ter um momento perfeito, se assim que acaba somos massacrados por uma carga de duzentos quilos? Se o pagamento é perder pessoas queridas?

— Bianca, escuta. — A voz de Catherine soa madura e profunda. Fico atenta a essa voz, que sei que será de grande valia para a minha consciência confusa. — Eu não posso decidir nada por você, mas posso ser sincera.

Espero, roendo as unhas.

— Entendo que você valoriza o respeito do Miguel — começa ela —, mas, honestamente, não acho que você fez algo pior do que ele. Miguel ficou com aquela garota enquanto ainda estava fazendo declarações de amor para você. Ela não é uma estranha, é uma amiga de Enzo, que inclusive você conheceu, mesmo que por um período curto. Eles eram amigos, pelo que me disse, então ele foi mais longe do que simplesmente ficar bêbado e agarrar uma menina aleatória.

— Então você acha que ele se apaixonou por ela?

— Não sei, não dá para termos certeza, mas se me perguntar se acho que ele estava tendo mais momentos românticos e quentes com ela do que com você, minha opinião seria que sim.

— Então empatamos? — digo, arriscando fazer o balanço.

— Pelo menos *você* estava se segurando, Bianca — retruca ela. — Por respeito a ele. Você só deixou acontecer com Enzo depois que soube que Miguel não estava te respeitando.

Pelo que eu posso entender, ela acha justo. Isso me deixa um pouco mais calma.

— Vocês terminariam de qualquer jeito — completa Catherine. — Seria até bobo não aproveitar a oportunidade que você e Enzo tiveram ontem. Mesmo ele sendo responsável, controlado e tal, ele também percebeu isso.

Fico pensativa, olhando para o meu próprio reflexo no espelho e atenta a sinais de barulho na porta da sala. Ainda estou sozinha, concluo.

— Então, completando o que comecei, não se condene dessa forma por causa do Miguel. E a segunda coisa que eu queria te falar é:

por que você se culpa tanto pela sua amiga Mari também? Desculpe a sinceridade, eu não a conheço, mas, se fosse comigo, eu ia entender totalmente que eu estava viajando na maionese em relação a esse *affaire* italiano, e que, se você estivesse realmente apaixonada por ele, não seria eu a julgá-la ou proibi-la. Afinal, foi você quem conviveu com o cara por todos esses meses, não ela.

Aquilo me deixa incerta. Catherine é sem dúvida mais flexível e razoável do que minha outra amiga, portanto não pode entender que Mari, intensa como é, me odiaria não apenas por ter tomado o seu bom partido, mas também por, principalmente, não ter lhe contado nada. Estou numa encruzilhada.

Ouço um barulho de fechadura e digo a Catherine que tenho de desligar. Saio do banheiro, ansiosa por quem verei passando pela porta, e é Enzo.

Ele diz "oi" e vai para seu quarto com o violão nas costas. Não aguento essa distância de novo. Já quase quero que Miguel volte, para que não fiquemos apenas nós dois neste apartamento. Nos beijamos e nos amamos, mas somos incapazes de conversar sobre o que acontecerá a partir de agora. Voltei a ficar covarde demais para tentar.

Decido sair para uma volta, de modo a pôr os pensamentos em ordem, então levo minha câmera para tirar as últimas fotos do meu filme. Vou aos meus pontos favoritos da cidade e capturo, da melhor maneira que posso, suas imagens para guardar em minha memória. Ao chegar ao clique vinte e quatro, vejo que já passa das seis da tarde e decido voltar para casa.

Chego, tomo banho e pouco depois Miguel aparece com sua mala, parecendo cansado. Meu coração acelera de expectativa ruim e deixo ele me dar um beijinho rápido. Ele vai fazer as suas coisas, tomar banho, comer, e eu fico na sala ouvindo música e lendo.

Meu celular toca e vejo que é o dono do The X Pub.

— Alô, Sr. Lucca, tudo bem?

— Bianca? Oi. Tenho uma notícia que pode lhe desagradar...

Ele está cancelando a apresentação de amanhã. A Ozmose só poderá tocar no dia 26, uma vez que estão consertando umas fiações elétricas no estabelecimento e seria impossível uma apresentação antes disso. Concordo, porque não há nada que posso fazer e é tarde demais para procurar outro lugar. Não poderei comparecer, já estarei no Brasil, mas, enquanto o Sr. Lucio Riggio puder, está tudo o.k.

Ligo então para ele, que, para a minha decepção, não poderá ir ao pub naquela data. Estou praticamente desistindo. De repente, tudo está desabando.

Chamo Enzo e ele vem para a sala. Conto o que está havendo e ele diz para eu não me preocupar que eles continuarão os contatos. Meu trabalho está feito e, se eles chegarem a conseguir um contrato, eles com certeza vão pagar a minha comissão. Digo que não me importo com o dinheiro, eles não me devem nada, só quero que se divirtam, e, se uma carreira não for o que eles almejam ou estejam preparados para ter, não têm obrigação nenhuma de dar prosseguimento ao que fizemos naquelas semanas.

— Foi uma ótima maneira de passar o tempo e peço desculpas se eu tiver pressionado vocês além do que queriam. Eu só estava entediada... — digo.

— Não se preocupa, Bianca — responde Enzo, calmo e legal como sempre. — Foi muito bom para nós também. Se der em algo, bom, se não der, não será nenhum desapontamento. — Ele sorri, suave.

Miguel chega à sala e nós lhe contamos o que houve. Ele diz que é uma pena e sente muito, mas vejo que está distraído. Sua cabeça está em outro lugar.

Não muito depois, descubro onde. Quando vou para o quarto e ele está lá, sentado à beira da cama, sério e reflexivo, fecho a porta e sento-me ao seu lado. É hora da nossa conversa. Tenho de aproveitar a oportunidade.

— Miguel, precisamos conversar.

— Sim, nós temos. — E ele me olha nos olhos. Sinto um pouco de medo. — Quero que você seja honesta comigo.

Espero, evitando encará-lo.

— Você quer estudar aqui. — Não é nem uma pergunta, mas quase uma afirmação.

— Sim.

— Você quer terminar.

Engulo em seco.

— Sim.

Miguel fica em silêncio. Não consigo ler a sua reação, ele está completamente paralisado. Então vira o pescoço sutilmente para mim. Tiro os olhos das minhas mãos unidas em meu colo e analiso o rosto dele. Miguel definitivamente não está feliz.

— E a última pergunta — diz ele. — Isso tudo tem algo a ver com Enzo?

Perco o ar. Tento disfarçar, mas acho que ele consegue notar o meu nervosismo. Continua me encarando, e sei que se eu desviar o olhar estarei me entregando.

— Não — respondo.

— Mentirosa.

Meu coração acelera à velocidade de um cometa e percebo que é inútil tentar esconder. Miguel se levanta, sua raiva começando a aparecer.

— Era apenas um palpite, Bianca, mas agora você está começando a me preocupar...

— Eu disse que não! — repito, mais alterada. Ele ainda não acredita em mim. Por que sou tão ruim mentindo?

— Para, Bianca! Admite! Você acha que sou cego? Que não notei quanto você sofreu quando Enzo estava no hospital e achou que ele ia morrer? — Ele grita na minha frente, eu ainda sentada. Estou desmoronando. — Esperei para ter essa conversa, com esperança de que eu estivesse apenas imaginando que tudo o que você sentisse por ele fosse simples amizade, mas agora posso ver em seus olhos, você não consegue negar...

Olho para baixo, totalmente perdida. Há algum sentido em continuar mentindo?

— Miguel, fica calmo, você tem que...

— *Porra, Bianca, não me peça para ficar calmo!* — exclama ele, e tenho certeza de que Enzo pode ouvir a discussão de seu quarto. É o momento mais constrangedor da minha vida. — Existe, sim, algo entre vocês e quero saber exatamente o que é!

Levanto-me finalmente. Estou cansada de ser tratada como o brinquedo dele. Ele não tem mais direito de gritar comigo do que eu com ele.

— Da mesma forma que entre você e Lara? — respondo alto, irritada.

Miguel para, o rosto chocado. No segundo seguinte está esmurrando o armário com força, e eu me encolho de medo.

Ele abre a porta com violência e sai. Temo por Enzo. Miguel nem bate na porta do quarto dele, entra direto, e eu vou atrás, pronta para pará-lo. Sei que ele está nervoso o suficiente para comprar uma briga.

Enzo parece assustado, porém também preparado para a situação, uma vez que ouviu tudo através das paredes. Miguel não toca nele ainda.

— POR QUE VOCÊ CONTOU A ELA, SEU TRAIDOR? *Esse sempre foi o seu plano, não é?* ROUBÁ-LA DE MIM!

Enzo se encontra sentado em sua cama, um livro de Física largado ao lado. Ele olha para nós dois com os olhos grandes e o rosto vermelho.

— Miguel... — A minha tentativa de interromper a discussão é ignorada.

— Porque não era justo! — responde Enzo, erguendo-se e franzindo o cenho. — Bianca não merece ser tratada assim!

— Ah! — Miguel dá risada e aponta para mim. — *Bianca estava me traindo esse tempo todo! Com você!* — E olha para Enzo, seus olhos crepitando furiosos. Miguel se aproxima mais de seu ex-amigo e o desafia com o olhar de gelo, ambos se encarando como animais prontos para o confronto.

— Não é bem assim! — interrompo, tremendo tanto que a minha voz sai estranha. — Em respeito a você, nada se concretizou até que eu soube do seu segredo sujo. Se você queria a Lara, por que continuou comigo?

— E você, se queria Enzo, por que não terminou? — devolve ele, aproximando-se de mim. Respiro rápido. — Você não sabe nada sobre o que aconteceu entre mim e Lara. Eu estava bêbado. Eu sabia que não valia a pena perder você.

— O que os olhos não veem o coração não sente, não é verdade? — digo com raiva. — Só porque você não está disposto a largar tudo por ela, só porque foi apenas uma paixão de momento, não significa que é mais permitido que começar a amar alguém que é bom para você e com quem você vê um futuro!

— NÓS TÍNHAMOS UM FUTURO, BIANCA!

— NÃO, NÓS NÃO TÍNHAMOS! — retruco. — Queremos coisas diferentes, você não percebeu? Somos pessoas totalmente diferentes! Pensei que essa experiência morando juntos aqui diria o mesmo a você, pois a mim disse muito!

Não sei se ele está escutando, pois seu rosto está contorcido de raiva e ele se vira para Enzo com um olhar feroz.

— Por que ele? — pergunta com desgosto. — DENTRE TODOS OS HOMENS DO MUNDO, POR QUE O MEU MELHOR AMIGO?

Fecho os olhos. Lágrimas escorrem em meu rosto agora. Mais do que bravo, Miguel está profundamente quebrado, amargurado.

— Miguel... — Enzo tenta falar, mas é cortado.

— Guarde suas palavras vazias para si mesmo, Enzo. Você era a última pessoa de quem eu esperava algo assim. Por isso viemos para cá. Porque você era um cara bom e honrado, alguém que eu respeitava e confiava a minha vida. — Ele olha para baixo, respirando fundo, encontrando forças. — Não vou te bater, não vou continuar gritando, porque você já sabe o quanto me feriu. Não adianta me procurar mais, a nossa amizade acabou.

— Você precisa nos deixar falar, Miguel! — tento.

— E de que adianta? — Ele caminha até mim e olha bem de perto em meu rosto. Vejo as veias proeminentes em sua testa e os olhos vermelhos. Sinto que não possuo mais pernas e estômago. — Nada do que vocês disserem vai apagar os fatos. Nada vai me fazer confiar nos dois de novo. Se você queria terminar, Bianca, devia ter feito isso muito antes! Devia ter poupado o meu tempo, a minha energia, o meu coração, tudo o que gastei com você! Eu posso ter te traído, e entendo que tenha ficado chateada, mas eu escolhi você.

— Você faz soar muito fácil! — grito de volta. — Quer dizer que estaria tudo bem ficar com Enzo se eu depois decidisse que é você que quero?

— POR QUE VOCÊ CONTINUA COMPARANDO LARA E EU COM VOCÊ E ENZO? — Ele volta a erguer a voz. — Lara não é sua melhor amiga, não viveu no mesmo apartamento que você! Aliás! — Ele passa a mão no rosto e funga. Estremeço com o que vejo que está por vir. — E a Mari? — Ele ergue uma sobrancelha. — Quando você planeja contar a ela?

Engulo em seco, as lágrimas ainda descendo. Ele encontrou a arma perfeita.

— Para de me torturar...

— AH, VOCÊ QUER QUE EU PARE? Se me magoar não é suficiente para partir seu coração, já que você não me ama mais, vamos ver se com Mari o mesmo se aplica. — Ele tira o celular do bolso e o estende para mim. Os meus olhos vacilam entre ele e Enzo, quase em pânico. Enzo segura o braço de Miguel, o rosto duro e aborrecido.

— Não, Miguel. Isso é entre nós...

Miguel sacode o braço para se livrar dele.

— Cala a boca, Enzo! Vamos fazer isso do meu jeito! — E ele se vira de volta para mim. Coloca o celular na minha mão. — Anda, Bianca. Liga! Não é justo que continue enganando a sua melhor amiga. Essa foi uma escolha sua.

Respirando rápido, jogando as lágrimas para longe, acho o número dela na agenda do telefone, moendo minha raiva por dentro, e quando começa a chamar, Miguel balança a cabeça me estimulando.

— Não posso fazer isso, Miguel, por favor...

Ele segura o telefone ao lado da minha orelha e solto um soluço de aflição. Evito olhar para Enzo. Isso é embaraçoso demais. Ele sabe que não deve impedir Miguel de fazer o que está fazendo. É a consequência pelos nossos atos.

— Alô — Mari atende, e não consigo mais segurar o choro.

— M-m-mari?

— Bi?! — Ela parece assustada com meu estado. — O que houve?

Miguel assente e faz um sinal com a mão para eu falar. Odeio esse seu lado frio. Odeio o que ele está fazendo comigo. Sinto-me nas mãos de um bandido, um chantagista que não vai parar até eu sentir muita dor.

— Mari, eu tenho que te falar uma coisa... — Engasgo com as lágrimas, mas vou em frente para acabar logo com aquilo. — Eu e Miguel terminamos.

— Oh! — Ela parece entender que é por essa razão que estou tão triste. Não posso fazê-la acreditar nisso. Miguel também me dá um olhar de alerta. — Amiga, como foi que...?

— Mas não é só isso — vou em frente. — Nós terminamos porque... — Fungo, minhas mãos tremem tanto que o celular mal para em minha orelha. Solto de uma vez, como um band-aid que deve ser retirado rapidamente: — Porque eu estou apaixonada pelo Enzo.

Fecho os olhos com força. Morri. Não consigo pensar em uma situação mais desagradável e vergonhosa do que aquela. Não quero ver os dois nunca mais... quer dizer, *os três*. Quero fazer um buraco no solo e me enterrar nele por toda a eternidade e além.

Mari fica sem resposta do outro lado da linha. Por um instante acredito que ela não esteja mais lá.

— Alô?

— Bianca — e, ao ouvi-la me chamando pelo meu nome completo, sei que as coisas estão muito erradas. — Isso é verdade? Você traiu o Miguel com o Enzo?

Deixo o choro escorrer e assinto com a cabeça. Ao perceber que ela não pode me ver, digo:

— Sim.

Mari está respirando pesado do outro lado, e não sei se ela está chorando.

— Por que não me contou?

— E-eu tive m-m-medo...

— Medo, Bianca? Você estava apaixonada por ele esse tempo todo e me deixou investir o meu tempo e meus sentimentos como uma idiota?

— Eu sinto muito, Mari, por favor, me desculpa...

— Não posso falar com você agora — ela soa tão séria e magoada quanto nunca ouvi. Meu coração está sendo perfurado por várias flechas, impiedosamente, do jeito que imaginei que seria.

Quer dizer, não, é ainda pior, multiplicado por cem.

— Por favor, Mari, você tem de ouvir a minha versão...

— E por que eu ia ouvir, Bianca?! Onde você esteve esse tempo todo? Tudo isso estava acontecendo e só o que você me dizia era que estava tudo bem. Duas palavras! T-U-D-O B-E-M. *Por que faria diferença agora?*

— Mari, eu...

— Com certeza você estava falando tudo para a sua *queridinha francesa* — diz ela, soando ainda mais magoada. — Sim, eu sei da sua nova amiguinha. Tenho certeza de que ela te deu muitos conselhos sobre Enzo, enquanto a idiota da Mari ficava no Brasil suspirando por ele...

— MARI, POR FAVOR, ME ESCUTA.

— A sua oportunidade se foi, Bianca! Resolva os seus problemas com os dois. Não vou me meter. Espero que encontre suas respostas.

E ela desliga. Fico olhando para a tela, infeliz como jamais estive. Jogo o celular de volta para Miguel, com raiva.

— Feliz agora? — pergunto, e saio de volta para o meu quarto, batendo a porta.

25

PLAYLIST:

Memórias (Come Wake Me Up) – Malta

Unkiss Me – Maroon 5

Não posso ficar mais nem um minuto no apartamento. Minhas malas estão praticamente prontas e, assim que entro no quarto, jogo o que falta dentro delas depressa.

Miguel aparece e começa a guardar suas coisas restantes também. Ele, como eu, já tem quase tudo pronto, pois assim que eu for embora para o Brasil ele terá que ficar em um hotel com seu pai, portanto agora ele somente coloca a escova de dentes e alguns pares de meia largados no chão nos bolsos de sua mala menor.

— Está indo embora também? — pergunto.

— Sim. — É só o que ele responde.

Mesmo sabendo que eu poderia, teoricamente, ficar os próximos dias até o meu voo ali com Enzo, não vou conseguir. Nós três precisamos de um tempo sozinhos.

Mando uma mensagem para Catherine:

***Bianca**: As coisas desabaram por aqui. Posso ficar no seu quarto?*

Ela me responde rapidamente.

***Catherine**: Sim, claro, venha.*

Arrasto as minhas malas para a porta. Enzo está lá, perdido, assustado e triste, e apenas o observo. Não há palavras a ser trocadas. Não sei quando o verei de novo, não sei se diremos um adeus apropriado, mas não posso pensar nisso agora. Tenho apenas de sair.

Miguel aparece com suas coisas.

— Chamei um táxi. Podemos dividi-lo — diz ele para mim, mortalmente sério.

— Vou para a Catherine. Posso andar.

— Não com tudo isso. — Ele aponta para a minha bagagem e sou forçada a concordar.

Continuo andando pelo apartamento, em busca de objetos que posso ter esquecido, para passar os minutos até a chegada do táxi. Nós três estamos mantendo distância um do outro, controlando as enormes quantidades de sentimentos borbulhando em cada um de nossos seres.

— Ele está lá embaixo — Miguel enfim anuncia a chegada do táxi.

Enzo abre a porta e Miguel sai sem se despedir. Olho para Enzo, querendo dizer muitas coisas, mas impossibilitada. Ele pega a minha mala mais pesada e desce as escadas com ela. Eu vou atrás com a menor, e, quando ele está lá embaixo, volta para me auxiliar.

O taxista põe nossas coisas no porta-malas e eu me viro para Enzo mais uma vez. Quero beijá-lo, quero dizer que nos veremos de novo, quero fazê-lo prometer que vai esperar por mim, mas não posso.

Entro no táxi e continuo encarando-o da janela. Miguel senta ao meu lado, passando os endereços ao taxista. Quando partimos, fico olhando Enzo na calçada, totalmente parado, sem nem sacudir a mão em um adeus, e juro que posso ver uma lágrima perdida em seu rosto.

* * *

O trajeto até a casa de Catherine é muito curto, praticamente apenas dobrar uma esquina. Mal tenho tempo para me sentir constrangida na companhia silenciosa de Miguel. Assim que paramos em frente ao prédio dela, coloco a mão na maçaneta do carro e olho para ele.

— Adeus, Miguel. Espero que um dia possa entender e que possamos ser amigos. Eu sinto muito.

Ele olha para a frente, como se não quisesse encontrar meus olhos, e diz apenas:

— Adeus, Bianca.

Fungando, saio do carro. O taxista já tirou as minhas coisas do porta-malas. Por sorte não há escadas para o apartamento dela, então Catherine apenas abre a porta no térreo e me ajuda a carregar os meus pertences.

A colega dela não está lá — para meu alívio, uma vez que socializar agora é o que menos quero — e vamos direto para o quarto de Catherine, onde ela já arranjou um colchão para mim no chão. Fico tão grata que a minha vontade de chorar aumenta.

Abraço-a e Catherine tenta me acalmar, dando-me o colo "de mãe" que eu desejaria ter agora. Pela primeira vez, estou feliz por voltar em breve para o Brasil, de voltar para a minha verdadeira casa.

Não falamos sobre nada — ela sabe que não preciso falar. Ela prepara uma xícara de chá em vez disso. E, ao terminar de tomar o chá, vou ao banheiro me arrumar para dormir. Deito sob as cobertas, no escuro, desejando que esse dia desapareça da minha mente. Durmo imaginando um futuro em que alguém invente uma espécie de modificador de lembranças.

***

Os dois dias antes da minha partida passam muito lentamente, mas passam, graças a Deus. Não vejo a hora de estar dentro do avião. Fico o tempo todo no apartamento, vendo coisas inúteis em meu computador para me distrair e chorando pelos cantos. Catherine pelo menos é uma boa companhia, e nós acabamos passando alguns bons momentos na cozinha preparando as nossas refeições. Ela tem de ir trabalhar em alguns períodos e me deixa à vontade na casa. Conheci, enfim, sua colega de apartamento, Paola, e foi bom trocar algumas palavras com ela.

Na noite do dia 22, enquanto me preparo para dormir, de modo a acordar bem cedinho no dia seguinte para pegar meu voo, recebo uma mensagem de Enzo.

***Enzo**: Você está bem?*

Meu coração acelera ao mero contato dele.

***Bianca**: Não sei.*

Ele leva alguns minutos para responder.

***Enzo**: Eu sinto muito pelo que aconteceu.*

E me pergunto se ele está se referindo à discussão embaraçosa no apartamento ou ao que Miguel me obrigou a fazer, ou mesmo ao fato de nós termos nos entregado àquele momento de paixão. O pensamento de que ele se arrepende de *nós* me faz estremecer.

***Bianca**: Eu também. Me desculpa por ter estragado a amizade de vocês.*
***Enzo**: Não foi culpa sua. Nós ficaremos bem. Só precisamos dar tempo ao tempo.*

E sei que ele tem toda razão. Por mais que eu queira passar no apartamento agora e me despedir dele apropriadamente, temos de deixar o tempo passar e se encarregar de nossos futuros. É cedo demais para mais uma decisão.

Arrisco dizer:

***Bianca**: Vou sentir sua falta.*

A resposta dele faz meu sangue inerte ser bombeado com vida.

***Enzo**: Eu também. Boa viagem amanhã. Se cuida.*
***Bianca**: Obrigada. Buonanotte, Enzo.*
***Enzo**: Boa noite, Bianca.*

Envio um emoji de leve sorriso e vou dormir com o coração mais tranquilo, sabendo que pelo menos aquilo não se acabou.

* * *

De manhã, despeço-me com tristeza de Catherine, e ela diz que vai fazer o máximo para vender a minha bicicleta se eu não for voltar. Sigo sozinha de táxi para a estação e passo o trajeto de lá até o aeroporto chorando silenciosamente sob meus óculos escuros.

Está consideravelmente mais frio do que em toda a minha estada na Itália, e eu mal usei as roupas de inverno que comprei. Quero voltar, quero ver os meus amigos de novo, quero conhecer os lugares que não visitei. Quero morar em Roma de verdade.

O voo para casa é cansativo, mas pelo menos vou direto para São Paulo, onde faço conexão. Durmo, ouço música, relembro os bons momentos que tive e tento imaginar os próximos que passarei quando retornar para os estudos. Assisto também a uma comédia na pequena TV à frente do meu assento, mas é tão sem graça que acabo cochilando várias vezes durante o filme.

Quando finalmente chego a Belo Horizonte, minha família está lá no aeroporto para me receber, incluindo papai. Estou destruída, em todos os sentidos, e receber o abraço deles funciona como um banho de água quente depois de enfrentar uma tempestade de neve.

Mamãe, claro, está chorando, e meus irmãos não param de pular em mim. Vejo o meu pai com os olhos marejados pela primeira vez — nem quando eu fui embora foi assim —, e dou um aperto tão forte nele que é para eu aproveitar enquanto ainda o tenho em meu alcance.

— E então, como foi sua experiência italiana? — pergunta-me ele.

— Intensa — respondo enquanto rio e lacrimejo ao mesmo tempo. — Fica tranquilo, pai, agora me considero uma Marino por inteiro. — E ele ri de volta, apertando a minha bochecha.

Ao chegar em casa, um maravilhoso jantar está à minha espera, e, embora eu esteja caindo de cansaço, aguento bem e aproveito cada minuto daquela rara reunião de família. Sei que meu pai vai voltar ao apartamento do meu tio em breve, talvez pela manhã mesmo, e não quero imaginar quão vazia a casa ficará sem ele.

Eles me mandam ir dormir quando eu termino a sobremesa e estou bocejando umas duzentas vezes. Sei que precisarei de ao menos uma semana para voltar à rotina, e vejo que minha mãe entende isso quando fala:

— Durma até a hora que quiser. Você não tem nenhum compromisso amanhã.

Dou boa-noite a eles e me fecho em meu antigo quarto. Já havia esquecido alguns detalhes dele e acho bastante estranho me deitar naquela cama outra vez. Parece um tanto dura.

Durmo rapidamente, pois estou cansada demais para pensar. Estou a milhares de quilômetros de onde estava antes e meu cérebro não consegue processar isso completamente. Quando fecho os olhos, as imagens que vêm à cabeça são dos meus últimos dias em Roma. Rezo para que em breve eu possa me acostumar a ser a Bianca de antes, e que o vazio ao não ver Mari me esperando no aeroporto junto com os meus pais desapareça logo.

26

PLAYLIST:

Miss Movin' On – Fifth Harmony

Espirais – Marjorie Estiano

O tempo, felizmente, passa. E com ele a dor, o arrependimento e a saudade amenizam. Algumas pessoas podem dizer que a saudade não desaparece, que ela só aumenta, mas eu discordo. Quanto menos você vê alguém, mais facilmente esquecerá essa pessoa, e então mais fácil será viver sem dela. É uma dedução bem simples, na verdade.

Miguel ocupa muito menos os meus pensamentos agora. Não nos falamos há três meses e agora, neste instante, não sinto absolutamente nada a respeito dele. Parece um passado distante, embora eu saiba que não é.

Revelei as fotos do meu filme e algumas do meu celular que ficaram legais. Deixei-as expostas em um mural em meu quarto, lembrando-me quanto fui feliz. Dentre elas, há aquela que tiramos no Coliseu — eu, Miguel e Enzo.

Quando olho para aquela foto, sinto muita saudade dos meus primeiros dias em Roma. Quando me concentro em observar o rosto de Miguel, sinto falta de quem ele era naquela época. Ao olhar para a imagem de Enzo (e principalmente aquela que capturei de seu rosto no dia em que ganhei a câmera e a que tiramos juntos em Veneza), tenho vontade de pegar um voo para Roma e voltar a passar o meu tempo com ele.

Contudo, mesmo sendo despertada para isso ao olhar para as figuras, é como se fossem apenas imagens que me lembram sentimentos. Não é a mesma coisa que sentir de verdade, em cada poro de minha pele. E, ao mesmo tempo em que gosto de poder me adaptar de volta à vida aqui, não quero que tudo se torne apenas um sonho.

No começo, bem nos primeiros dias, foi quase insuportável ficar naquela casa, onde meu pai não mora mais, minha mãe trabalha a maior parte do dia e os meus irmãos ficam na escola. Eu andava pelos cômodos e corredores como um fantasma, entediada e ferida, procurando um portal mágico para voltar ao passado.

Nem ler eu conseguia mais. Sempre que pegava um livro interessante, eu não conseguia me concentrar. Estava mais focada em minha própria história, querendo saber o desenrolar dela e quando viria o final feliz.

Eu chorava às vezes e olhava para os nomes de Mari, Miguel e Enzo na minha agenda do celular, morrendo de vontade de ligar ou mandar mensagem para eles. Mas eu não tinha o que dizer. Receber uma rejeição ou uma resposta vazia, a essa altura, seria ainda pior.

Bom, não que eu não tenha tentado. No dia seguinte à minha chegada, liguei para Mari, sem sucesso, e até fui a sua casa, mas a mãe dela disse que ela não queria me ver. Então decidi lhe dar o tempo que ela queria e voltei à minha rotina.

Continuei falando com Catherine, mas não é mais a mesma coisa, é claro. Chega um momento em que não temos mais assunto, nada novo para contar, nenhuma possibilidade de fazermos qualquer coisa juntas.

Quanto a Enzo, esperei iniciativas dele. Não aconteceu. Ele certamente concluiu que seria melhor esquecer a garota complicada por quem se apaixonou e achar outras coisas em que ocupar sua mente. Miguel também não deu sinal de vida, e eu segui seu exemplo.

Conversei com os meus pais sobre estudar em Roma no dia seguinte à minha chegada, uma vez que pedi a mamãe que convidasse o meu pai para o jantar de Natal. Foi quase a mesma coisa de quando pedi, da primeira vez, para ir à Itália. Eles ficaram relutantes, argumentaram muito, mas acabei por convencê-los que era o que eu queria, o que seria melhor para mim.

Tive de concordar, no entanto, que só seria possível começar as aulas no verão, em setembro. Fiquei chateada por ser tanto tempo, mas me convenci de que seria a única forma viável, considerando as normas da universidade, as datas de inscrição e tudo o mais.

Mamãe não ficou feliz de eu só começar a estudar dali a nove meses e me disse que eu deveria fazer alguma coisa no tempo que tinha livre. Acostumada com os meus hábitos anteriores, encontro um trabalho rapidamente, numa loja de roupas, e me comprometo a ser voluntária num hospital. Inscrevo-me também num curso de italiano, para ficar ainda melhor e poder passar no teste de proficiência para a universidade, e minha mãe parece satisfeita ao ver minha nova rotina semanal.

Faço novos amigos no curso, na loja e no hospital e vou juntando cada centavo que ganho. Visito o meu pai às vezes, ou encontro-o em restaurantes e cafés, e ajudo a minha mãe a cuidar dos meus irmãos e da casa o máximo que posso. Logo fico bem ocupada e o tempo passa depressa.

Não faço, porém, nenhuma nova "melhor amiga". Mari e Catherine provam ser insubstituíveis. Depois de tanto conviver com garotos também, passo a apreciar mais as amizades masculinas, porém corto a onda deles toda vez que algum tenta algo mais, mesmo que seja um simples encontro ou ida ao cinema.

Estou bem assim, solteira, e não quero mais ninguém, ao menos por enquanto. Principalmente por causa dos meus planos de me mudar. Se for aceita na universidade de Roma, nada vai me parar, e estou planejando toda a minha vida com a ideia disso se tornando realidade.

Em abril, uma decisão inesperada de mamãe me pega em cheio. Ela chega um dia cansada do trabalho, cansada mesmo, do tipo "não aguento mais um minuto naquele lugar", e ouço os planos que ela vem fazendo silenciosamente há algum tempo.

— Andei pensando, Bianca — começa ela —, e como você vai sair daqui do Brasil por pelo menos três, quatro anos, não acho que tenha sentido ficar nessa casa enorme, sozinha com os seus irmãos. — Ouço atentamente, um pouco tensa e ao mesmo tempo ansiosa. — Quero me mudar, filha. — E até aí tudo bem... — Quero me mudar para a Europa com Matheus e Breno.

Arregalo os olhos e abro a boca. Uma risadinha sai de mim por conta própria, acho que por ter percebido quanto isso faz todo o sentido do mundo, afinal, eles são cidadãos europeus assim como eu.

Fico muito empolgada e a estimulo de todas as maneiras que posso. A ideia vai se firmando em sua mente a cada dia, com a minha ajuda, e já achamos que não há outra solução melhor do que essa.

Ter a minha mãe por perto, mesmo que seja em outra cidade ou país vizinho, é uma perspectiva maravilhosa, e acabo convencendo-a de que então devemos ir bem antes de agosto, para que ambas possamos encontrar nossa casa (no caso dela, emprego também) e prepararmos tudo para nossa nova vida.

Não morarei no mesmo apartamento que eles, porém, mesmo que decidam ficar em Roma. Quero ter a minha própria vida independente, como foi uma vez, perto da universidade, dividindo aluguel com alguém da mesma idade que eu.

Tenho Catherine e outros contatos que posso usar a meu favor e, quando falo com ela a respeito disso pela primeira vez, minha animação fica ainda maior ao ouvir a notícia de que sua colega de apartamento pode se mudar em junho, deixando o outro quarto vago. Morar com a minha melhor amiga em Roma se torna um dos meus maiores sonhos.

Quando chega a confirmação de que fui aceita na universidade, celebro muito e fica decidido que irei a Roma com a minha mãe e os meus irmãos nas primeiras semanas de junho, já de mala e cuia. Eles irão só de visita, para ver o que encontram e se gostam da cidade e, se não lhes agradar, pegarão trens e aviões para outros locais que mamãe tenha lido artigos positivos a respeito.

Catherine me dá o "sim" que eu estava esperando a respeito do apartamento e começamos a negociar a burocracia para que eu me mude no dia 20.

Duas semanas antes de irmos, então, começo a empacotar tudo de importante que devo levar, e minha mãe se junta à limpeza, pois devemos desocupar nossa casa para venda.

— E se você não achar nada por lá e decidir voltar? — pergunto. — Onde vocês vão morar?

— Vou ficar um mês na Europa, Bianca — responde-me ela. — É claro que acharei algo em algum lugar.

Sorrio de seu espírito aventureiro recém-descoberto. Admiro a minha mãe mais do que nunca. Acho que depois da separação ela ficou muito mais corajosa, determinada e segura de si. A cidadania que meu pai lhe transmitiu não pode ser tirada dela, mesmo após o divórcio, e vejo que mamãe quer aproveitar as portas abertas pelo meu pai para todos nós.

— E, é claro, se não der certo, podemos ficar com sua tia até alugarmos algo aqui — completa ela. — Mas os meninos estão tão empolgados... isso seria em último caso. Acho que mudar de país será uma ótima experiência para eles. Criança aprende depressa. Logo vão estar dominando a língua e fazendo um monte de amigos. Aposto que bem mais rápido do que eu... — Ela ri.

— Você devia entrar na escola em que estudei — recomendo. — Tinha gente de todas as idades lá. Bom, isso caso vocês fiquem mesmo em Roma.

A preferência deles é se estabelecerem em Roma. Se não, alguma outra cidade do Lácio, ou alguma outra da Itália, e ir expandindo o perímetro até que algo seja encontrado. Ela não quer ficar muito longe de mim.

Quando converso com o meu pai para saber a opinião dele sobre tudo isso, ele parece orgulhoso por ter nos dado a chance de tentarmos a vida em outro lugar. Por mais que ame a Itália, não acho que ele se mudaria a essa altura, ou já teria feito isso há muito tempo, mas vejo que ele fica feliz, principalmente pelo meu iminente sucesso acadêmico, agora que sei exatamente o que quero estudar e que já tenho amigos, moradia e perspectivas em Roma.

Três dias antes do nosso voo, a casa está completamente vazia, sem mobília ou enfeites, e estamos dormindo em colchões no chão junto com as malas que levaremos para a viagem. A semana foi corrida, indo de lojas de móveis usados a bazares para nos desfazermos de roupas velhas; homens desmontando e carregando coisas para caminhões; corretores e potenciais compradores entrando e saindo da casa... uma loucura.

Evito, então, ficar na residência semidesocupada e com frequência saio para uma volta, mesmo sozinha. Um dia antes da viagem, estou no shopping comprando meias e roupa íntima quando avisto Mari caminhando de mãos dadas com um garoto que não conheço.

Ela não me vê. Penso por um minuto se devo ir até lá falar com ela, mas concluo que talvez seja melhor deixar as coisas como estão. Não sei que reação ela teria ao meu contato e, de qualquer forma, estou partindo de volta para a Itália. Retomar a amizade a essa altura poderia apenas nos fazer infelizes.

Fico contente que ela esteja com um rapaz e torço para que ele seja alguém legal que não a magoe. Sentindo um aperto no peito, viro-me para a direção contrária antes que ela me veja e então volto para casa para terminar de arrumar as minhas coisas.

27

PLAYLIST:

Last Flower – Mads Langer
In Your Arms – Nico & Vinz

O dia da viagem chega. Estou pulando de ansiedade, assim como os meus irmãos, e, quando finalmente aterrissamos na Itália, tenho a sensação de como se estivesse voltando para casa.

Vamos para o hotel que mamãe reservou, e realmente espero que ela tenha tudo sob controle, uma vez que pagar diárias por um mês inteiro seria um baita rombo no orçamento. Ela me garante que vem fazendo contato com um corretor e que ele nos proverá um lugar temporário até que consigamos um aluguel.

Quer dizer, não eu. Já tenho o meu cantinho no apartamento de Catherine, e logo no dia seguinte ao que chegamos levo mamãe lá para ver. Ela fica muito satisfeita com as instalações e me abraça, feliz por eu estar me provando uma mulher madura e independente, que sabe cuidar de suas próprias questões.

Nos próximos dias, vamos a várias lojas de móveis em busca da minha mobília e na segunda semana mudo de vez. Catherine concorda que devemos deixar a minha mãe e os meus irmãos dormirem ali até a resposta do corretor, e assim eles fazem *check-out* no hotel e ficam por mais alguns dias conosco. Nossos passeios turísticos também são bem divertidos, e Catherine se junta a nós sempre que pode.

Em um dia estamos passeando pela Fontana di Trevi quando, ironicamente, Miguel me liga. Estranho a chamada internacional, afinal, custa muito caro do Brasil, mas sei que dinheiro não é necessariamente um problema para os Nogueira.

Aliás, ele deve saber que estou de volta à Itália ou não ligaria no meu número italiano. Atendo.

— Alô?

— Bianca? É o Miguel.

— Oi, Miguel — digo, fingindo não saber que era ele. Ele não me deixa perguntar por que está me dando a honra de ouvir a sua voz depois de seis meses.

— Eu quis te mandar uma mensagem, mas é vazio, você poderia ignorar. As pessoas não mandam mais cartas hoje em dia, então decidi ligar. — Fico em silêncio, escutando. — Quero que saiba que estou feliz em saber que você, mesmo depois do que aconteceu, que te devastou, conseguiu colocar a sua vida nos eixos. Fico feliz que sua mãe e seus irmãos tenham decidido se mudar também.

Fico imaginando como ele soube. Provavelmente ele tentou me procurar em casa e acabou conversando com os vizinhos. No entanto, a única coisa fixa em minha mente, depois de tudo o que ele falou, é:

— Então você sabe o que me devastou?

Ouço sua respiração. Imagino um Miguel ansioso, redimido, sentado em seu quarto, sozinho, com as lâmpadas apagadas.

— É claro que sei e peço desculpas por ter deixado a minha raiva falar mais alto.

Sento-me no banco mais próximo, minha família e minha amiga longe para me darem privacidade.

— Eu reconheço que estava sendo um idiota, que a culpa por não termos dado certo foi principalmente minha. Você estava sendo perfeita, madura e responsável, e eu agi feito um garoto. — Ele suspira. — Enzo é cem vezes mais maduro do que eu, um homem muito melhor, e sei que é alguém assim que você merece. Eu posso tentar, posso fingir que cheguei lá, mas ainda tenho um caminho de aprendizado a trilhar, Bia, aprendi isso.

Concordo com a cabeça, minhas emoções reviradas.

— Você é um bom homem, Miguel...

— Mas eu nunca estive preparado para uma garota como você. Essa é a verdade.

Esse novo lado do Miguel me surpreende de uma maneira muito positiva. Só de ele estar refletindo sobre si mesmo e o que houve entre nós me deixa orgulhosa. Significa que ele quer crescer, que ele está tentando, mas que talvez vá machucar pessoas em seu caminho ainda, incluindo a si mesmo.

— Você vai encontrar uma garota boa, Miguel — digo.

— Espero que sim, mas não tenho pressa.

— Volta para a vida maluca, que esse é o seu paraíso — brinco, rindo. Ele ri também.

E talvez essa seja a mais pura verdade. Todas as pessoas querem carinho e amor, mas acontece que somente algumas querem encontrar sua outra metade para um comprometimento, em uma vida calma de compartilhamento e pequenas emoções diárias. Outra parte da população, em contrapartida, quer apenas viver intensamente o instante, com pessoas diferentes. Miguel está nessa segunda categoria, por mais que tenha tentado a primeira.

— Você era tão perfeita, Bianca, que eu não podia ter você como as outras — continua ele. — Mas em algum ponto do nosso relacionamento sério, sério demais, eu acabei esquecendo disso. Me desculpa.

— Está desculpado, Miguel. Eu também tenho a minha parcela de culpa nisso tudo. Não foi justo o que fiz.

— Você se apaixonou por alguém como você, Bia, e por isso não posso te culpar. Eu seria um monstro. — Consigo ouvir o sorriso em sua voz. — Eu sempre quis que Enzo arrumasse uma garota como você, mas, você sabe, elas não estão por aí em qualquer esquina.

— Eu não sou a única que pode fazer Enzo feliz, Miguel. Nem sou a única que poderia te fazer feliz.

— Nem eu sou o único que poderia te fazer feliz. Bingo! É sempre assim. A vida continua.

Sorrio para o nada, imaginando seu rosto ao falar isso. Foi por esse Miguel que me apaixonei. Onde ele se escondeu aquele tempo todo?

— Obrigada por me ligar.

— Você tem a minha bênção, Bianca — diz ele.

— Para o quê?

— Enzo.

— Ah. — Fico corada de repente.

— Vá procurá-lo. Ele merece te ver de novo.

— Tem muito tempo, Miguel... ele já deve ter conhecido outra garota.

— Não, ele não conheceu. Fica tranquila.

— E você? Conheceu alguém? — Tento tirar o foco de mim.

Miguel dá uma risadinha.

— Não. Quer dizer, se contar as garotas com quem converso nas baladas...

Dou risada alto. Ele é irremediável.

— Bom falar com você, Miguel. Mas tenho de ir agora. Meus irmãos estão quase pulando na água da Fontana de tanto tédio.

— Vai lá, então. A gente se fala de novo depois.

— Beleza. Ah! E como está indo na empresa?

— Tudo ótimo. Devagarinho, estou conquistando meu espaço — diz ele, soando pomposo.

— Que bom... Nunca tive chance de te dizer que fiquei orgulhosa do trabalho que fez com a loja. Não entendo muito de negócios, mas acho que foi um trabalho realmente admirável.

Ele ri.

— Toda vitória vem com perdas... — E isso me deixa um pouco constrangida, pois sei que está falando de mim. — Tchau, Bia. Boa sorte na nova vida.

— Tchau, Miguel. Pra você também.

E ele desliga antes de mim. Respiro fundo três vezes e retorno para Catherine e minha mãe. Sinto por volta de dois quilos e meio descendo dos meus ombros e ficando bem ali no chão.

***

Dois dias depois, a imobiliária liga para a minha mãe e diz que achou o apartamento perfeito para eles. Nós vamos visitá-lo e realmente é uma graça. Um pouco afastado do centro, mas nem tanto, então se tem a tranquilidade do subúrbio somada à facilidade de deslocamento para o coração da cidade. Tudo está em ótimo estado e o espaço é ideal para eles, com os meus irmãos na idade que estão.

O divórcio deu a mamãe uma boa grana, principalmente por causa da casa, então ela está nas melhores condições de aceitar a proposta. O emprego ela ainda não conseguiu, mas já distribuiu um bocado de currículos e tem até uma entrevista marcada para a próxima semana. Como professora de inglês, acho que não vai faltar trabalho para ela, sem falar que tenho certeza de que ela aprenderá italiano rapidinho, considerando a sua facilidade com línguas.

Já sabendo em que bairro eles vão ficar, vamos em uma escola infantil que poderá ser a futura dos meus irmãos, e eles se amarram em tudo. Ainda não consigo acreditar que moraremos todos em Roma e que, para visitá-los, ao contrário do que eu pensava que seria, só terei de pegar um ônibus cujo trajeto não leva mais que trinta minutos. Só para ver meu pai mesmo que precisarei cruzar o oceano de vez em quando, mas, considerando a paixão dele pela Itália, aposto que virá nos ver mais vezes do que eu imagino.

No fim de semana, decido mostrar a mamãe onde morei com Miguel. Ela se surpreende quando descobre que é tão perto do apartamento que divido com Catherine. O que não falo é que estive evitando passar perto de lá para não correr o risco de trombar com Enzo.

Percebo quanto isso é bobo, então reúno coragem e decido que tenho de enfrentar essa situação, cedo ou tarde. Nós andamos até a frente do prédio e aponto para ela. Meus irmãos estão dormindo ainda, e fico satisfeita que não estejam ali, correndo e gritando pela vizinhança. Um pouco de sossego é bom de vez em quando, principalmente quando estou tão perto da janela de Enzo.

— E o colega de vocês? — pergunta ela. — Como se chamava mesmo?

— Enzo. — Mamãe não sabe da história. Talvez um dia eu crie coragem e conte para ela. Ou talvez eu nunca conte, a não ser que, por alguma ironia do destino, eu e Enzo comecemos a namorar algum dia.

— Enzo, isso. Ele ainda mora aqui?

— Sim — respondo, olhando para cima e detectando o contorno de alguns objetos familiares perto da janela.

— E quem é o colega de apartamento dele agora? — pergunta ela. Dou de ombros.

— Não faço ideia.

Ela continua olhando para cima, fazendo seu questionário sem sentido.

— Ele ainda conversa com Miguel?

— Não sei, acho que eles se afastaram.

— Ah, que pena... e você mantém contato?

— Não.

Minhas respostas curtas são bloqueadas por um nó na garganta que aparece ao me lembrar do tanto de coisas que vivi naquele lugar.

— Mas você está bem com o Miguel agora, não é?

— Se com "bem" você quer dizer que nos perdoamos e talvez haja uma possibilidade remota de sermos amigos, então sim.

Mamãe acha que nós só nos separamos porque éramos muito diferentes e Miguel pensava apenas em trabalho e festa. Nem sobre a traição eu falei, afinal, seria vil de minha parte mencionar a dele e não a minha. Quanto à minha briga com Mari, ela pensa que foi por algum motivo besta qualquer. Sei que minha mãe merece saber a verdade, mas às vezes acho que mães são mais felizes quando não estão por dentro de todos os detalhes sórdidos da vida social de seus filhos.

Estou refletindo sobre essas nuances da vida quando sou surpreendida pela imagem do carro de Enzo sendo estacionado do outro lado da rua. Pisco para ver se não estou imaginando, afinal, qual é a chance de eu ser tão "sortuda"?

O.k., talvez eu tenha calculado a saída mais ou menos baseada na hora que ele volta das suas aulas matinais, mas, poxa, calma aí, eu não sei mais dos horários dele.

Sentindo-me totalmente despreparada para isso, recuo um pouco para pensar em como agir. Eu podia até ter pensado em vê-lo de longe entrando em casa, mas ir falar com ele enquanto a minha mãe está por perto não estava exatamente nos planos.

O problema é que acho que *devo* falar com ele. Afinal, seria totalmente estranho ignorar que o vi bem ali. E se ele me vir de volta e pensar que eu o ignorei porque não quero vê-lo nunca mais? Essa pode ser a chance de retomarmos contato sem eu ter de deliberadamente tocar o seu interfone ou ligar para o seu celular.

Ele sai do carro e olho para a minha mãe. Ela percebe que algo está acontecendo.

— Aquele ali é o Enzo — aponto discretamente, antes que ela pergunte.

— Vai lá falar com ele — estimula-me ela. — Ele sabe que você está em Roma?

— Não.

— Então está esperando o quê? — palpita ela, em seguida ajeita a bolsa no ombro e me dá aquele sorrisinho cúmplice. — Vou voltar agora. A gente se vê mais tarde. Esperamos você para o almoço, mas, caso não possa se juntar a nós, só me dê um toque.

— Tá bom — digo, aliviada pelo bom senso dela, e, assim que ela se afasta, respiro fundo.

Não tenho muito tempo para me munir de ar, no entanto. Enzo está procurando as chaves para entrar. Apresso o passo e meio que corro até a porta.

— Ei! Enzo — chamo, e ele vira o rosto para me ver, sua expressão muito surpresa.

— Bianca?! — E o sorriso que abre é o mais lindo do mundo. Sou lembrada imediatamente do quanto ele é lindo, por fora e por dentro. Do quanto sinto a sua falta.

Fico parada em sua frente, sorrindo também, como de hábito, até que ele sai de seu transe e me abraça. Sentir aquele perfume novamente é como encontrar o caminho para o céu.

— Uau, essa era uma coisa que eu não esperava hoje — diz ele, rindo, quando nos separamos do abraço e voltamos a nos encarar. — Quando você chegou?

— Umas duas semanas atrás — respondo com sutileza. — Vim com minha mãe e meus irmãos, eles vão morar aqui também, acabaram de conseguir um apartamento.

Enzo ergue ainda mais as sobrancelhas.

— Caramba, Bianca, que ótimas notícias! E você, passou na Sapienza? — ele usa o nome próprio da Universidade de Roma. Falo então sobre o meu processo de registro, o curso escolhido, as datas e ele fica iluminado de felicidade pela minha conquista. Me dá mil parabéns, um novo abraço e pergunta: — E onde é que você vai morar agora? Com a sua mãe?

Balanço a cabeça, ansiosa por contar a melhor parte.

— Não. Sou a nova *roommate* da Catherine. — Ele faz uma cara de surpresa exagerada e nós dois rimos.

— Nossa, que perfeito! Imagino o quanto você deve estar feliz.

— Demais — não escondo meu interior cintilante. Tudo se mostra ainda melhor agora que vi Enzo de novo.

— Você está aqui pertinho, então. Podemos voltar com as nossas sessões de *Zombie World*.

Dou risada alto, assentindo. Mal posso esperar!

— Você ainda joga?

— Claro. E você?

— Óbvio — respondo com uma expressão esperta, da qual ele acha graça. — E como anda a banda? Conseguiram algum contrato milionário?

Ele balança a cabeça com leveza.

— Não... o Lucio Riggio nos pediu um tempo, está com uns problemas na gravadora, e depois disso não fomos atrás de mais ninguém. Mas está tudo tranquilo. Como te disse, o importante é nos divertirmos.

— Sem dúvida — concordo, sorrindo. — Com quem você está morando agora?

— Um irlandês chamado Kevin, gente fina e totalmente louco. Você vai gostar dele. Kevin já viajou o mundo inteiro e praticou todos os esportes radicais que você pode citar.

Sorrio, imaginando. É sempre bom conhecer gente nova. Quando ele disse "louco", fiquei com medo de ser algum maluco fumante de baseados, mas, como conheço Enzo, sei do que ele está falando. Como eu, ele gosta de gente divertida, com bom astral.

— E Miguel? — pergunta Enzo. Olho-o com atenção. Seus cabelos estão curtos novamente, mas ainda caem um pouco em sua testa, e aquela barbinha no queixo o deixa totalmente irresistível, combinada com seu olhar penetrante da cor do mais belo mar da Calábria.

— Ele me ligou ontem. Está tudo bem.

— Ele me ligou também.

Ficamos sérios por um momento, tentando entender o que aquilo poderia significar. Miguel me deu sua bênção, e acho que o fez para ambos. Engulo a saliva.

Percebo que estamos parados ali por vários minutos, na porta do prédio, e acho que Enzo se dá conta do mesmo.

— Você está com tempo? Que tal sairmos para uma volta? — convida ele, sorrindo sutilmente para mim, e não há nada que me faria dizer não agora.

28

PLAYLIST:

Up – Olly Murs & Demi Lovato

I Lived – OneRepublic

Eu e Enzo caminhamos rua abaixo. Coloco-o a par de tudo o que aconteceu no meu retorno ao Brasil e ele também me conta como foi sua vida depois que fomos embora.

O nosso passeio é muito agradável, como se o tempo não tivesse passado, como se tudo o que ocorreu há seis meses não tivesse acontecido. Nós nos comportamos de maneira muito natural perto um do outro e não deixamos de trocar sorrisos nem por um minuto. Nenhuma parte da conversa é pesada ou relembra os momentos tensos que tivemos. Estamos relaxados, aproveitando a companhia e o dia ensolarado.

Sentamos para tomar um café num lugar muito aconchegante que encontramos no caminho, e lá as horas passam sem que ao menos percebamos. Ele não tem mais aulas no dia e eu cancelei o almoço com a minha mãe, então não temos hora para voltar.

Depois do café, continuamos caminhando sem rumo, ainda sem querermos parar a conversa, e quando me dou conta o sol está se pondo. Começamos a atravessar a ponte que passa pelo rio Tibre e liga os dois principais pontos do centro de Roma. Paro no meio dela para apreciar a vista. As águas são baixas e possuem uma cor amarronzada, mas isso não estraga a vista para toda a maravilha restante ao redor.

Enzo para ao meu lado, nós dois com os braços apoiados no balaústre.

— Eu achava que você não ia voltar mais — diz ele, após um tempo de silêncio contemplativo. — Achei que, depois do que houve, todos os seus planos mudariam.

— Meus planos não dependiam de Miguel ou de ninguém.

Ele sorri e olha para mim.

— Isso é muito bom, Bianca. — Sorrio de volta, um tanto sem graça, meu coração martelando como se a sobrevivência da espécie humana dependesse disso.

Posso ver a admiração dele por mim em seus olhos. Enzo sempre gostou da minha determinação, dos meus atos impulsivos (como largar os empregos de que eu não gostava), e deixar claro que a minha volta não foi por causa dele — ou dos meus pais, ou de Miguel... que eu apenas fiz porque era o que eu queria —, isso parece deixá-lo orgulhoso. Mais do que nunca, vejo que Enzo é o tipo do cara que jamais vai cortar a minha independência ou me obrigar a ficar com ele. Ele respeita a minha individualidade, e isso é o melhor que eu posso esperar.

Ainda sinto os arrepios, a sensação no peito, as borboletas no estômago. Mas também estou mais calma, deixando os ventos me levarem, aproveitando cada surpresa agradável. O que ele me proporciona a seguir não chega a ser uma surpresa, pois a vi chegando, mas me pega tão forte quanto uma onda e acorda o meu "eu" entorpecido como uma enxurrada de água fria.

Ele se aproxima, emparelha seu rosto ao meu e então, sem hesitar, beija-me com delicadeza, nossos braços ainda imóveis na mesma posição, apenas nossos lábios em movimento harmonioso. É a coisa mais doce que já experimentei na vida e desperta cada ponto sensível em mim para uma explosão de sensações. Tenho a confirmação de que ainda o amo, de que estou apaixonada e de que não há nada que possa nos separar desta vez, nenhuma culpa, nenhum arrependimento.

E penso se aquele seria o final do meu filme, caso estivesse sendo rodado. Sei bem qual seria a música que tocaria ao fundo quando os créditos começassem a subir.

Mas, ah, terminar assim seria pra lá de clichê. Ainda tem uma pessoa que eu preciso ver.

* * *

O silêncio da igreja enche os meus ouvidos de paz enquanto caminho pelo corredor vasto e bonito. Ali na lateral está o confessionário, o qual está vazio pelo menos por ora, para a minha sorte, mas sei que a hora das confissões é agora.

Avanço e agacho-me na madeira, olhando para o visor xadrez, à espera da voz sábia e profunda vinda do outro lado.

— Boa tarde, padre Domenico — digo, dando início ao colóquio. — Não sei se o senhor se lembrará de mim, provavelmente não, com tanta gente que deve vir diariamente... Meu nome é Bianca.

— Olá, Bianca. — Ele não lembra. Certeza. — Seja bem-vinda à casa de Deus.

— Sou a garota que estava apaixonada pelo melhor amigo do namorado.

— Hum. — E o tom que ele usa no típico "hum" me dá a dica de que se lembrou. Imagino quantas outras pessoas no mundo viveram uma situação como a minha.

— Hoje não tenho nenhum pecado para te contar, padre Domenico — começo. — Então serei breve para não tomar muito do seu tempo.

Aproximo os olhos dos buraquinhos, tentando ver alguma coisa. Só enxergo sua silhueta e imagino se algum dia verei como é a pessoa do padre Domenico.

— Bom, eu estou namorando o tal ex-melhor-amigo do meu ex-namorado, mas não acho que isso seja um pecado mais. Primeiro que eu e meu namorado terminamos seis meses atrás e, é, foi bem ruim, uma vez que ele descobriu que eu tinha, bom, *ficado* com o Enzo... — Imagino os olhos do padre Domenico se arregalando, mas continuo. — Ele tinha me traído também, mas isso é uma outra história. O fato é que eu cometi o pecado, mas não acho que ele seja digno de nota, uma vez que hoje estou com o Enzo e essa foi a melhor decisão que eu já tomei. Quer dizer, não que eu tenha tomado a decisão sozinha, mas sei que, se não tivéssemos nos apaixonado naquela época, acho que o que estamos tendo agora teria poucas chances de ser concretizado. Então, veja bem, não me arrependo de nada. Estou muito feliz. Talvez tenha sido sorte, talvez Deus tenha decidido ser legal comigo, o fato é que quero agradecer ao senhor e, bom, *Ao Senhor*, por terem me dado força num momento em que eu me encontrava totalmente confusa e desesperada.

Ao fim da minha tagarelice, respiro fundo para recuperar o ar e sinto pena do padre Domenico por ter de escutar pessoas indecorosas como eu. Mas, poxa, eu só queria ser sincera com ele. Imagino quanto de histórias inacabadas ele deve ter em sua cabeça, de gente que nunca volta para lhe contar o que aconteceu no fim. Quero que ele saiba que a minha ao menos teve um final feliz.

— Obrigado por abrir o seu coração, Bianca — responde ele, respeitoso como sempre, e acho que um tantinho aliviado por eu não ter parado num manicômio ou acabado presa num casamento sem a bênção do amor. — Deus atendeu às suas orações e mostrou-lhe o caminho certo.

Não digo que não fiz as orações que me pediu, apenas balanço a cabeça em concordância e finalizo a minha sessão.

— Estou morando em Roma de novo e juro que se eu pecar novamente volto aqui para contar a você. Hummm... quer dizer, ao *senhor*.

Quase acho que ouço uma risadinha vinda do padre Domenico, mas é provavelmente apenas sua tosse. Ou assim ele faz parecer.

— E o casamento? Algum plano, senhorita?

Dou risada, então me censuro e volto a soar séria.

— Perdão. Ah, então, não, somos muito novos ainda. Mas, se um dia acontecer, quero que seja aqui nessa igreja.

— Será um prazer, Bianca.

Ele não me pede para rezar nada. Faço o sinal da cruz, uma reverência saudosa que não sei se ele pode ver, e me levanto.

— Até outra hora, padre Domenico. Espero ver o senhor um dia fora dessa caixa.

E me dirijo para a saída da igreja, pensando no quão errada eu estava em meus conceitos sobre amar. Não idolatro mais uma imagem de alguém que eu queria — eu admiro uma pessoa real por todas as suas características. Não esqueço algumas delas em detrimento de outras, eu sei do conjunto completo e o quero em meu dia a dia.

Não me importo mais com o futuro nem se eu e Enzo *temos* um futuro, embora eu acredite que sim. O que importa é que estou me sentindo viva e apaixonada, de uma maneira como nunca me senti antes.

E é quando percebo que essa é a sacada dos filmes. Eles mostram quando a pessoa está mais feliz, e quando você percebe que ama alguém e vocês podem ficar juntos, esse é o sentimento.

Ao assistirmos a um filme de romance, relembramos do começo de nosso namoro, quando geralmente não há muitas dificuldades que não possam ser superadas, quando nos desapegamos e abrimos mão de muitas coisas pelo amor; depois, normalmente uma parte considerável das pessoas se esquece desses fatos. É muito possível que, por essa razão, relacionamentos acabam se tornando monótonos e casamentos definham. Sendo assim, os obstáculos não existem apenas para tornar as coisas mais difíceis ou interessantes, mas para mostrar que quando estes surgem — como quando alguém está em vias de morrer ou quando se tem a ciência de que pode perder alguém —, é também o momento em que a realidade se apresenta e surge a possibilidade de um recomeço.

Pronto, acho que agora o meu filme pode acabar, com uma música do OneRepublic, nada muito sentimental, alguns carros passando na avenida enquanto caminho por ela e uma visão panorâmica de Roma.

R-O-M-A: as mesmas letras que formam a palavra "AMOR". Na ordem contrária e na ordem certa, descrevem a minha experiência. Afinal, o meu suposto filme não trata apenas de minha história de amor com Enzo. Trata também de minha história de amor por Roma e, principalmente, por mim mesma.